CAPTIVE

BOOK SOLD
NO LONGER R.H.P.L.
PROPERTY

Catalogage avant publication de Bibliothèque et Archives nationales du Québec et Bibliothèque et Archives Canada

Turgeon, Élizabeth, 1951-

Captive

(Atout ; 149. Aventure)
Pour les jeunes de 12 ans et plus.

ISBN 978-2-89723-742-4

I. Titre. II. Collection : Atout ; 150. III. Collection : Atout. Aventure.

PS8639.U728C36 2016   jC843'.6   C2015-942253-1
PS9639.U728C36 2016

Les Éditions Hurtubise bénéficient du soutien financier du gouvernement du Québec par l'entremise du programme de crédit d'impôt pour l'édition de livres et de la Société de développement des entreprises culturelles du Québec (SODEC). L'éditeur remercie également le Conseil des arts du Canada de l'aide accordée à son programme de publication.

Financé par le gouvernement du Canada
Funded by the Government of Canada | Canadä

Conception graphique : Fig communication
Illustration de la couverture : Luc Normandin
Mise en page : Martel en-tête

Copyright © 2016, Éditions Hurtubise inc.

ISBN : 978-2-89723-742-4 (version imprimée)
ISBN : 978-2-89723-743-1 (version PDF)
ISBN : 978-2-89723-744-8 (version ePub)

Dépôt légal : 1er trimestre 2016
Bibliothèque et Archives nationales du Québec
Bibliothèque et Archives Canada

Diffusion-distribution au Canada :   Diffusion-distribution en Europe :
Distribution HMH   Librairie du Québec/DNM
1815, avenue De Lorimier   30, rue Gay-Lussac
Montréal (Québec) H2K 3W6   75005 Paris FRANCE
www.distributionhmh.com   www.librairieduquebec.fr

La *Loi sur le droit d'auteur* interdit la reproduction des œuvres sans autorisation des titulaires de droits. Or, la photocopie non autorisée – le « photocopillage » – s'est généralisée, provoquant une baisse des achats de livres, au point que la possibilité même pour les auteurs de créer des œuvres nouvelles et de les faire éditer par des professionnels est menacée. Nous rappelons donc que toute reproduction, partielle ou totale, du présent ouvrage est interdite sans l'autorisation écrite de l'Éditeur.

Imprimé au Canada
www.editionshurtubise.com

RICHMOND HILL PUBLIC LIBRARY
32972000752206   RH
Captive
Feb. 12, 2018

ÉLIZABETH TURGEON

CAPTIVE

DE LA MÊME AUTEURE

Le Baiser du lion, Montréal, Hurtubise, collection «Atout», 2013.

Chez d'autres éditeurs

La prochaine fois, ce sera toi, Saint-Lambert, Soulières Éditeur, collection «Graffiti», 2015.

La Réglisse rouge, avec Ève T. Better, Saint-Lambert, Soulières Éditeur, collection «Chat de gouttière», 2015.

Lili Moka, Montréal, Boréal, collection «Boréal Inter», 2014.

Les Pierres silencieuses, Montréal, Boréal, collection «Boréal Inter», 2014.

Destins croisés, Montréal, Boréal, collection «Boréal Inter», 2013.

La Révolte, Montréal, Boréal, collection «Boréal Inter», 2012.

Le Toucan, Montréal, Boréal, collection «Boréal Inter», 2011.

ÉLIZABETH TURGEON

Élizabeth Turgeon est née à Amos. Avocate de formation, elle a d'abord exercé le droit à Québec avant d'œuvrer dans le milieu des affaires à Montréal pendant plus de 20 ans. Parallèlement, elle s'est consacrée à l'écriture, au théâtre et à la peinture. Elle puise son inspiration dans ses voyages à travers le monde. *Captive* est son neuvième roman pour la jeunesse.

*Nous devons apprendre à vivre
ensemble comme des frères, sinon
nous allons mourir ensemble
comme des idiots.*

Martin Luther King

1

PIÉGÉE

Alice ouvrit les yeux. Des flèches de lumière transperçaient la pénombre. Elle était étendue sur le sol, pieds et poings liés. Quand elle tenta de se libérer, une vive douleur explosa dans son crâne, lui rappelant qu'elle avait été attaquée sur le site archéologique d'Angkor.

— Jonathan?... Jean?... Êtes-vous là?

Elle regretta d'avoir parlé. Son agresseur aurait pu l'entendre.

Elle lutta de toutes ses forces pour ne pas paniquer. Elle inspira plusieurs fois, profondément, en évitant de tirer sur les cordes qui entaillaient sa peau.

«Où suis-je? Pourquoi me garde-t-on prisonnière?»

Ravalant un sanglot, elle s'efforça de se remémorer les instants précédant l'agression: «Un taxi nous a laissés au site d'Angkor Thom, devant la Porte de la mort.»

Le mot la saisit. Et si ses ravisseurs avaient l'intention de la tuer? La conscience d'être seule et ligotée lui faisait craindre le pire. À cet instant, elle regretta de s'être donné tant de peine pour convaincre ses parents de la laisser partir au Cambodge à 16 ans.

Elle étira les jambes, cherchant à adopter une position moins douloureuse. Ses longs cheveux tombaient sur son visage couvert de sueur. La chaleur et l'obscurité l'écrasaient. Sa tête lui faisait mal, ses bras, son dos, ses reins l'élançaient. La poussière du plancher se frayait un chemin dans ses narines et se collait à son corps.

Furieuse, l'adolescente frappa le sol de ses deux pieds attachés en rugissant de colère.

Puis, elle se calma, se contraignit à oublier sa situation et à continuer à se souvenir : « Je dessinais un visage de l'une des tours du Bayon quand j'ai été attaquée par-derrière. Tout est devenu noir. Et je me suis réveillée ici, séquestrée. »

Péniblement, Alice chercha à se redresser. Elle réussit à s'asseoir et ferma les yeux un instant pour contenir le tambourinement dans son crâne. Lorsqu'elle les rouvrit, elle entreprit de se déplacer en balançant son corps, tout en poussant sur ses talons. Heureusement, ses mains avaient été attachées devant elle.

Elle recula jusqu'à ce que son dos rencontre un mur. Elle se tourna et découvrit qu'il était en bambou. Elle en déduisit qu'elle était enfermée dans une hutte. Si elle criait assez fort, quelqu'un pourrait l'entendre à travers la fine cloison.

— Au secours! Aidez-moi! *Please, help!* Au secours!

Elle hurla de toutes ses forces, tandis que son crâne semblait sur le point d'éclater de douleur. Lorsqu'elle fut à bout de souffle, elle tendit l'oreille: des aboiements éloignés lui répondaient, ainsi que des chants de coqs et des piaillements d'oiseaux.

Alors, la peur l'emporta. Des griffes puissantes l'étranglaient. Son cœur s'emballait, martelant ses tympans. L'air se raréfiait. Attachée et seule dans l'obscurité, elle basculait dans l'angoisse. Elle rassembla ce qui lui restait d'énergie pour canaliser son attention sur les milliers de grains de poussière qui dansaient dans un rai de lumière. Longtemps, elle observa la stupéfiante chorégraphie. Peu à peu, elle s'apaisa. La pression dans ses oreilles diminua, et elle put enfin respirer normalement.

Au loin, des cloches se mirent à sonner. Et, presque au même moment, le plancher sur lequel elle était assise commença à remuer étrangement.

« Est-ce que la hutte dans laquelle je me trouve est bâtie sur pilotis ? Quelqu'un serait-il en train d'en grimper l'échelle ? » s'interrogea-t-elle avec effroi.

Le cliquetis d'un cadenas qu'on déverrouille confirma ses appréhensions.

Alice se recroquevilla tant bien que mal sur elle-même.

2

CINQ HEURES PLUS TÔT

Un hurlement déchira le silence. Inquiets, ils s'immobilisèrent au milieu du sentier. Une dizaine de singes surgirent du bois. L'un d'eux montra les dents et poussa de nouveau son cri furieux.

— On se calme, King Kong! lui lança Alice d'une voix forte.

Surpris, l'animal s'enfuit, suivi de ses congénères.

Jonathan éclata de rire et entraîna son amie vers le temple d'Angkor Wat, où son oncle Jean les attendait. Il travaillait à mettre en scène l'opéra *Turandot* de Puccini sur le site archéologique. Pour le moment, il était en repérage avec son équipe. Ils évaluaient les ressources requises pour le projet.

Trois semaines plus tôt, Jonathan terminait sa quatrième année du secondaire ainsi que sa huitième année d'études à l'école de musique. C'était là qu'il avait rencontré Alice. Ils étaient rapidement tombés amoureux. Elle jouait du piano et du saxophone. Il chantait. Sa voix avait cessé de muer depuis peu. Avec un peu de chance, son registre de ténor dramatique lui permettrait un jour d'interpréter des rôles à l'opéra.

C'était précisément en raison de ses habiletés vocales que son oncle lui avait offert ce travail. Au cours des prochains jours, il exécuterait un extrait de l'opéra de Puccini à divers endroits sur le site d'Angkor afin que le directeur technique évalue les besoins en sonorisation.

Comme Alice passait l'été avec son père et sa mère en Thaïlande, un pays voisin du Cambodge, ses parents avaient finalement accepté qu'elle voyage seule pour rejoindre son ami. Son séjour au Cambodge ne devait durer qu'une semaine et, si Jean le permettait, Jonathan repartirait avec elle à Bangkok.

Le sentier déboucha sur un chemin bordé de deux lacs. Les deux adolescents aperçurent, au loin, la silhouette d'Angkor Wat, le temple dédié à Vishnou, le dieu de l'hindouisme. Au fur et à mesure qu'ils approchaient, ils distinguèrent cinq immenses dômes de pierre. Le soleil venait de se lever et leur jetait une lumière oblique qui les couvrait d'une teinte rosée.

— Tellement cool ! murmura Alice tout en imaginant les acteurs-chanteurs évoluer dans ce décor surréaliste.

Ils rejoignirent Jean et son équipe occupés à mesurer l'espace nécessaire à la construction d'une scène qui ferait face à Angkor Wat. Remarquant la présence de Jonathan, son oncle l'informa que les tests de voix n'auraient pas lieu ce jour-là. Ils n'avaient pas encore choisi l'emplacement exact du spectacle.

Angkor comptait plus de 300 temples dispersés sur 400 kilomètres^2. La cité avait été, du IXe au XVe siècle, la capitale de l'empire khmer. Certaines parties avaient été restaurées, d'autres restaient en ruine. Angkor Wat était le seul monument qui avait été entretenu constamment par des moines. Voilà pourquoi Jean avait un faible pour ce lieu. Mais avant de prendre une décision, ils devaient visiter les temples du Bayon, de Ta Prohm et de Banteay Srei.

Jean s'adressa à leur guide :

— Y a-t-il toujours autant de touristes ?

— Non, c'est exceptionnel. La ville de Siem Reap accueille cette semaine le Congrès du patrimoine mondial. Des centaines de spécialistes des civilisations anciennes sont venus d'Europe, d'Asie et d'Amérique pour participer à l'événement. Il y a parmi eux des anthropologues, des historiens, des archéologues, des géographes… et j'en passe. Ils assisteront aussi à des conférences. Vous aurez alors tout le loisir de travailler tranquillement sur le site.

La visite d'Angkor Wat terminée, ils remontèrent à bord de leurs tuk-tuk. Jonathan aimait bien ces véhicules-taxis munis de trois roues et pouvant transporter de deux à quatre passagers.

Une quinzaine de minutes plus tard, les chauffeurs les déposèrent devant la Porte de la mort, celle qui menait au Bayon, le temple principal du complexe d'Angkor Thom. Une centaine de têtes gigantesques y contemplaient le monde. Elles étaient chacune aussi hautes qu'une maison de deux étages.

— Je n'ai jamais rien vu de si beau ! s'exclama Alice en admirant une tour surmontée de quatre visages de pierre. On se croirait dans une forêt de géants.

— Ces Khmers sont des génies, affirma Jonathan.

— Tu veux dire ces Cambodgiens. Les habitants du Canada sont des Canadiens et ceux du Cambodge, des…

La jeune fille laissa la réponse en suspens pour que son ami la complète. Sans succès. Il lui expliqua plutôt que les mots «Cambodgiens» et «Khmers» désignaient l'un comme l'autre les gens du Cambodge. Les deux appellations étaient acceptées. C'était ce qu'il avait lu dans son guide de voyage.

— Ah bon! Je ne savais pas. Est-ce que j'ai le temps de faire une aquarelle de l'une des têtes du Bayon?

L'adolescent chercha son oncle du regard. Il l'aperçut et s'étonna de le voir de si petite taille. Pourtant, il mesurait plus de six pieds. Le visage levé vers le ciel, pivotant sur lui-même, la bouche ouverte, il semblait totalement subjugué par le nombre et la dimension incroyable de ces statues.

«Il envisage la possibilité de présenter l'opéra dans ce lieu, présuma Jonathan. Alice peut prendre son temps, Jean n'est pas prêt à visiter un autre temple.»

Tandis qu'elle se mettait à la tâche dans un coin reculé du Bayon, le garçon se promena entre les colosses de pierre tout en répétant son extrait d'opéra. Une quinzaine de minutes plus tard, il rebroussa chemin jusqu'à l'endroit où il avait laissé Alice.

Elle n'y était plus! Il vit sur le sol un de ses précieux crayons d'aquarelle. Une impression étrange l'envahit. Un mélange de prémonition et de peur. Il cria plusieurs fois son nom. N'obtenant pas de réponse, il comprit que quelque chose de grave s'était produit. Il courut avertir Jean. Aidés des membres de l'équipe, ils commencèrent à fouiller le Bayon.

Une heure plus tard, Jonathan s'effondra : Alice avait bel et bien disparu. Il ne pouvait se résoudre à y croire.

Jean contacta la police locale. En attendant leur arrivée, Jonathan et son groupe recrutèrent des touristes. Ils furent bientôt une centaine à ratisser une deuxième fois les lieux.

3

OTAGE

La porte s'ouvrit brusquement. Effrayée, Alice leva la tête. Elle reçut la lumière comme un coup de poing.

— *Jane Robinson, we brought you here for…*

— Je ne suis pas Jane Robinson.

— Tu parles français… tant mieux.

L'homme reprit d'un ton suspicieux :

— Tu es certaine que tu n'es pas Jane Robinson ?

— Oui.

Apeurée, elle s'interrogeait : « Pourquoi souhaite-t-il tant que je sois cette femme ? »

L'inconnu referma brutalement derrière lui et alluma une ampoule qui se balança un instant en projetant une lumière glauque. Alice put enfin l'observer : c'était un Asiatique. Il était plutôt vieux et massif. Ses joues pendaient, laissant émerger un long nez. Un sourire carnassier fendait ses lèvres.

— Alors… qui es-tu ?

Tandis qu'il s'approchait, son visage fut pris de convulsions. Des tics nerveux déformaient ses traits en spasmes rythmés. Et ses yeux exorbités s'affolaient, comme si quelque chose le secouait de l'intérieur.

— Je veux sortir d'ici, l'implora-t-elle d'une voix tremblante. S'il vous plaît, libérez-moi! Je dois retrouver mon ami avant qu'il s'inquiète et appelle la police.

— Je t'ai demandé ton nom, hurla le geôlier, de plus en plus agité.

L'adolescente ne parvenait pas à détacher ses yeux de l'homme. Elle avait l'impression qu'à tout moment, il allait l'attaquer.

Il mit un genou sur le sol et se pencha vers elle.

— Ton nom? articula-t-il en lui postillonnant au visage.

Figée et incapable de réagir, elle retint son souffle. Ses dents commencèrent à claquer malgré elle, et un long sanglot s'échappa de ses lèvres.

Subitement, l'Asiatique se releva et son visage devint aussi lisse qu'un masque cuivré. Seuls ses yeux bridés continuaient à la foudroyer.

Il recula d'un pas et continua d'un ton plus calme:

— Es-tu venue au Cambodge avec le groupe de scientifiques qui assiste au Congrès du patrimoine mondial?

Alice inspira profondément et débita sa réponse rapidement :

— Non, je suis Alice Miron. Je suis canadienne et je voyage avec mon ami.

— Donne-moi plus de détails.

— Des détails qui me concernent ou sur mon ami ? le questionna-t-elle.

— Les deux !

La prisonnière expliqua qu'elle était étudiante. Son ami s'appelait Jonathan Vigneault. Il avait 16 ans, comme elle, et il accompagnait son oncle venu au Cambodge pour mettre en scène un opéra.

— Que font tes parents ?

— Ma mère est graphiste.

L'individu se rapprocha et se pencha au-dessus d'elle. Il était si près qu'elle sentait son haleine écœurante. Elle n'avait qu'une envie : vomir.

— Et ton père ?

— Il s'appelle Claude Miron. Il est professeur de biologie invité pour la session d'été à la faculté des sciences d'une université à Bangkok.

Il ne la crut pas, car il voulut connaître le nom exact du lieu où son père enseignait.

— L'Université Chulalongkorn, se rappela heureusement Alice.

Une rangée de dents jaunies accueillit sa réponse.

— S'il vous plaît, détachez mes mains. Elles me font très mal.

Elle tenta de les soulever. Elles étaient trop lourdes. Le sang n'y circulait plus depuis qu'elle avait été ligotée.

Il les examina et la jeune captive constata avec lui qu'elles étaient bleu-violet.

— Ces imbéciles ont trop serré les liens!

L'homme se redressa et sortit un poignard du fourreau pendu à sa ceinture. Après avoir passé le tranchant de la lame sur la partie charnue de son pouce, il se pencha de nouveau vers l'otage.

Alice tourna vivement la tête et colla sa joue contre le mur. Du coin de l'œil, elle l'observa fendre les cordes d'un coup sec. Ses bras s'affaissèrent. Du sang coulait de son poignet. Le couteau avait entaillé la peau.

L'Asiatique examina la blessure.

— Désolé! La coupure est superficielle. Quelqu'un viendra panser ta plaie.

Il détacha ses chevilles. Le claquement de la lame sur la corde la fit sursauter.

«Cet homme n'est pas totalement mauvais puisqu'il a de la bienveillance pour moi, songea-t-elle. Je vais peut-être m'en tirer.»

— N'essaie surtout pas de fuir! l'avertit-il en brandissant son couteau.

— S'il vous plaît, je veux partir. Je ne parlerai pas de ce qui est arrivé. Il y a au moins 60 dollars dans mon portefeuille. Vous pouvez les prendre…

Elle se ravisa et effectua un calcul mental pour convertir les dollars en riels, la monnaie du Cambodge. Un dollar canadien équivalait à 3 200 riels environ.

— Je peux vous donner 192 000 riels, proposa-t-elle.

— Pas question! Nous ne sommes pas des voleurs. D'ailleurs, je t'ai rapporté tes affaires. Tout y est.

Il sortit sur la galerie de la hutte et revint avec le sac à dos d'Alice qu'il jeta à ses côtés en lui annonçant qu'elle serait libérée quand ils obtiendraient ce qu'ils demandaient. Ils enverraient ce soir sa photo ainsi qu'un communiqué aux journalistes.

— On devrait te laisser partir bientôt, conclut-il.

— Pourquoi pas aujourd'hui? murmura-t-elle.

Sans un mot de plus, l'homme quitta la pièce.

Alice se rendit compte qu'elle saignait abondamment. Elle voulut bouger son bras pour examiner la blessure. Impossible! Il était complètement engourdi. Alors, elle attendit, les yeux fixés sur sa plaie.

Elle n'avait rien d'autre à faire que de regarder le liquide écarlate tracer sur son pantalon beige des formes monstrueuses, terrifiantes, tandis que son cerveau élaborait des scénarios cauchemardesques.

Impuissante à réfréner ses pensées dévastatrices, elle se mit à pleurer.

4

SOURKEA SAMPHAM

Ary réparait sa motocyclette à l'ombre d'un *daeum thnaot*. Le jeune homme affectionnait particulièrement ces palmiers à sucre qui poussaient le plus souvent au milieu des rizières. Ces arbres étaient un véritable cadeau pour les Cambodgiens : ils donnaient un fruit qu'on mangeait tel quel ou dans les desserts. On conservait leurs feuilles pour fabriquer les toitures des maisons, des chapeaux et des éventails ; leurs branches coupées très finement servaient de cordes, et leurs troncs étaient transformés en petits bateaux pour naviguer dans les champs inondés.

Dans ce village de la région de Battambang, où des dizaines d'hommes et leurs familles avaient trouvé refuge, de nombreux *daeum thnaot* parsemaient les rizières. Mais ils n'appartenaient plus aux paysans, qui n'avaient que le droit de les admirer.

Ary observa un moment la hutte sur pilotis où était détenue la Canadienne. C'était une habitation modeste, sans confort : des murs tressés, un toit de feuilles et une échelle de bambou. La plupart des autres maisons étaient aussi bâties en hauteur pour les protéger des animaux et des moussons, mais elles étaient en bois et bordées d'arbres en fleurs.

Ce village, l'un des plus beaux qu'Ary ait connus, se nichait en plein cœur du grenier du Cambodge, la plaine où l'on cultivait la plus importante quantité de riz de tout le pays. Les palmiers jetaient leurs ombres sur des rizières vert émeraude et vallonnées.

Ary aurait aimé habiter ce village. Le sien était à quelques heures de route. Il vivait dans une hutte très simple avec sa mère Akara. Il était venu ici pour se joindre aux FPK, les Forces paysannes khmères. Lok Thol était le chef de ce mouvement qui regroupait des agriculteurs victimes de vol. Le gouvernement leur avait confisqué tous leurs avoirs en échange de quelques billets. Ils n'étaient pas les seuls à avoir subi cette injustice. Des milliers de Cambodgiens avaient été dépossédés de leurs terres. Ici, ils étaient une centaine. Lok Thol les avait convaincus que, réunis, ils avaient plus de chances d'être entendus et d'obtenir la restitution de leurs biens.

Occupé à bricoler, Ary aperçut au dernier moment l'ombre de la silhouette massive de

Sourkea Sampham. Il retint son souffle. Il se doutait qu'il allait passer un mauvais quart d'heure.

— Suis-moi, siffla Sourkea en le dépassant.

Il lui avait parlé en khmer et non dans le dialecte de la région.

Ary obéit sans entrain et lui emboîta le pas.

Cet homme était le bras droit de Lok Thol. Ary aurait préféré s'expliquer avec lui. Leur chef savait écouter et juger avec justesse. À l'opposé, Sourkea était dur, brutal et dépourvu d'empathie. Alors que Lok Thol avait exigé qu'on prenne soin de l'otage, Sourkea avait ordonné de ne pas la ménager. Si elle tentait de fuir, ils étaient tenus de l'abattre sur-le-champ.

Ary s'était demandé : « Qu'en aurait pensé Lok Thol s'il l'avait entendu ? »

Ils entrèrent dans une maison et s'installèrent à la table. Sourkea étendit ses bras devant lui, les paumes de ses mains ouvertes vers le ciel.

— Comment peux-tu être assez imbécile pour confondre une fille de 16 ans avec une femme dans la soixantaine, archéologue et professeure d'université ?

— Vous êtes sûr qu'il ne s'agit pas de Jane Robinson? s'enquit Ary, même s'il connaissait la réponse.

— Oui! Lok Thol vient de l'interroger. Son nom est Alice Miron. C'est une adolescente!

— Ces, ces…, bégaya intentionnellement Ary dans l'espoir de déstabiliser Sourkea, ces Occidentales sont sans âge. Parfois, les vieilles ont l'air jeunes et, parfois, les jeunes ont l'air vieilles. En plus, elles se teignent les cheveux. Alors, si tu as deux blondes…

— Jane Robinson… la scientifique que tu devais kidnapper a les cheveux noirs. Abruti!

Ary lui confirma que, justement, Alice Miron avait une belle chevelure de jais.

— Idiot! Tu ne comprends rien! Jane Robinson est connue à travers le monde. C'est une archéologue et une experte de la civilisation khmère. Elle est invitée au Congrès du patrimoine mondial. Sa disparition aurait soulevé des tollés d'indignation. La presse aurait parlé d'elle. Alors que, maintenant, on a une inconnue sur les bras. Le récit de son enlèvement n'intéressera personne…

Sourkea s'arrêta et fouilla dans ses poches à la recherche de son cellulaire qui s'était mis à vibrer. L'appel provenait de son patron.

— Un moment, s'il vous plaît, le pria-t-il avant d'ordonner à Ary de quitter les lieux.

Il attendit que le jeune homme sorte avant de poursuivre la communication :

— Je suis à vous.

— Bien. On m'a informé que vous n'auriez pas kidnappé Jane Robinson ! Comment une telle erreur a-t-elle pu se produire ?

D'une voix mielleuse, Sourkea lui offrit un discours à l'opposé de celui qu'il venait de tenir à Ary :

— Au fond, l'une comme l'autre, ces femmes se valent. Cette jeune Canadienne est la fille de Claude Miron, un professeur invité à la faculté des sciences de l'Université Chulalongkorn, à Bangkok. L'écho de sa disparition se répandra comme une traînée de poudre. On portera autant d'attention à son enlèvement qu'à celui de Jane Robinson. Ne vous inquiétez pas. La couverture médiatique sera importante…

— Oui, je m'inquiète ! Les Forces paysannes khmères minent la crédibilité du gouvernement cambodgien depuis plusieurs mois. Lok Thol enchaîne les déclarations publiques. Des journaux américains et européens ont même publié des articles concernant leurs revendications ! Les terres prises aux paysans que nous avons expropriés nous appartiennent, maintenant. Je veux que ces gens mettent fin à leurs manifestations. De toute façon, il est hors de question qu'ils récupèrent leurs biens.

L'homme était hors de lui. Il reprit son souffle et articula d'un ton incisif :

— Monsieur Sampham, on vous a engagé pour infiltrer les Forces paysannes khmères en faisant croire que vous êtes l'un de ces révoltés. Vous devez vous assurer que ce mouvement de contestation cesse ses activités une fois pour toutes. Tout ce qu'on veut, c'est ruiner leur influence. S'ils ont mauvaise réputation, personne ne les écoutera. On aura la paix !

Loin de perdre contenance, Sourkea mentionna que c'était justement ce qu'il était en train de faire. On devait seulement lui laisser assez de temps. Il en profita pour annoncer une bonne nouvelle à son supérieur hiérarchique : une dizaine de minutes plus tôt, Lok Thol avait blessé l'otage en la libérant de ses liens. Il comptait se procurer un échantillon de son sang. Il l'enverrait à un journaliste qui le ferait analyser afin de vérifier s'il s'agissait bien de l'ADN d'Alice Miron.

— Et le reporter rédigera un article-choc sur ces bandits de paysans qui "martyrisent" une Canadienne. L'opinion publique se déchaînera contre les FPK. Pour le moment, on les écoute encore d'une oreille favorable. Pas pour longtemps! Je vous assure que ce projet n'est qu'une première étape, et je ne vous cache pas que je travaille à un dénouement plus spectaculaire, précisa Sourkea en évitant de parler ouvertement de la mise à mort de la jeune fille détenue.

Satisfait de ces explications, l'homme lui enjoignit de le tenir au courant des prochains événements.

Sourkea éteignit son cellulaire et le posa lentement sur la table. Tout en réfléchissant, il passa et repassa une main dans ses cheveux coupés en brosse. «Le plus difficile reste à venir, pensa-t-il: convaincre Lok Thol de tuer Alice Miron. Il me faut resserrer mon emprise sur ce vieux fou de Thol. Plus vite on sera débarrassés de l'otage, plus vite je pourrai m'éloigner de cet endroit.»

Sourkea sourit en songeant à la prime substantielle qu'il toucherait pour cette mission lorsqu'elle serait achevée. Comme les banques donnaient peu d'intérêts et que la Bourse était trop risquée, il avait exigé qu'on ne le paie pas en argent. Il voulait quelques hectares d'une terre arable qu'il pourrait revendre en petites parcelles au moment opportun. Et c'était encore possible d'en obtenir, quand on connaissait les bonnes personnes, ou que l'on était à leur service.

5

DÉROUTANTE

Une fille munie d'un grand sac surgit dans la hutte. Alice, qui s'était assoupie, se redressa et l'observa : la Khmère était jeune, son teint doré, et elle semblait bâtie en longueur avec ses membres fins. Elle portait une tunique vert brillant tombant sur un sarong enroulé autour de sa taille. Le tissu descendait jusqu'à ses chevilles. Alice n'avait encore vu personne à Siem Reap porter le costume traditionnel cambodgien.

La nouvelle venue déposa sa besace sur le sol et la poussa du bout du pied jusqu'à la hauteur de la prisonnière. Ensuite, elle se pencha vers elle et examina la plaie :

— *Kuor saabkpaem*[1] !

Elle se redressa et, à la surprise d'Alice, l'interpella en français :

— Comment est-ce arrivé ?

N'obtenant pas de réponse, elle s'indigna :

— On m'ordonne de te soigner et de laver ton vêtement imbibé de sang, sans plus

---

1. En langue khmère : « Dégoûtant ! »

d'explications. Et toi aussi, tu refuses de me parler. Pourtant, je ne suis ni ton infirmière ni ta servante. Mais qui cherche à savoir qui je suis réellement?...

Alice lui apprit à voix basse que celui qui avait coupé ses liens l'avait entaillée. Après quoi, elle réclama une pilule pour calmer son mal de tête.

— Je n'ai pas ça, trancha la Khmère. Enlève ton pantalon!

— Je ne peux pas. Mes membres sont trop engourdis.

La jeune Québécoise contempla tristement ses mains qui ne répondaient plus aux ordres transmis par son cerveau. Un bourreau invisible s'acharnait à les piquer avec des aiguilles. Pour mieux supporter l'inconfort, elle se répétait qu'il était provoqué par le sang qui avait recommencé à circuler dans ses veines.

— Soulève tes fesses! commanda la Cambodgienne.

Elle obéit, et la fille détacha le bouton à la taille de son pantalon, descendit la fermeture éclair et tira brusquement le vêtement vers elle.

Alice se rendit compte qu'elle n'avait plus de chaussures, seulement ses bas courts.

Son interlocutrice sembla lire dans ses pensées, car elle lui désigna ses espadrilles sur le plancher de la hutte près de la porte.

— Je vais laver ton pantalon. Demain, il sera prêt. En attendant, porte ce sarong.

Elle lui attacha une pièce de tissu autour de la taille.

Alice sentit ses yeux se remplir d'eau. Elle détestait ne plus avoir le contrôle de son corps. Heureusement, la Khmère n'en fit pas de cas. Agenouillée à ses côtés, elle sortit du sac un flacon d'alcool, un petit bol et une grande bouteille.

Elle versa l'eau dans le contenant et, à l'aide d'un linge, elle se mit à nettoyer le sang tout en interrogeant la blessée :

— Je m'appelle Chan. Et toi ?

Sa voix s'était adoucie.

Alice lui dit son nom tout en l'observant. Cette fille était déconcertante. Elle agissait comme si la situation était normale : une étrangère était détenue dans une hutte et elle la soignait, un point c'est tout !

— Quel âge as-tu, Chan ?

— Je suis née l'année du Rat.

« Étrange réponse », songea Alice. Elle la fixa un moment. Quel âge avait-elle ? Peut-être 18 ou 20 ans ? Elle pouvait tout autant avoir 16 ans, comme elle.

Elle se contenta de la réponse. Un millier de questions plus importantes tournaient dans sa tête. Elle était consciente qu'il valait mieux recueillir les informations une à une, pour ne pas effaroucher la Khmère.

Elle choisit de commencer par un renseignement anodin :

— C'est étonnant comme tu connais bien le français. Quand l'as-tu appris ?

— Depuis que je suis bébé, ma mère m'a parlé en français. Elle l'enseignait à l'école du village et elle tenait à ce qu'on ne fasse aucune erreur. Et je converse toujours avec mon père dans cette langue, mais aussi avec d'autres personnes. Autrefois, le Cambodge faisait partie de l'Indochine, à l'époque où le pays était colonisé par la France, qui avait imposé sa langue. Aujourd'hui, on parle principalement le khmer au Royaume du Cambodge, ajouta-t-elle avec fierté.

— Je comprends, acquiesça Alice pour l'encourager à poursuivre.

Maintenant que Chan était plus calme, elle espérait obtenir davantage d'éclaircissements.

— Lorsque les Français sont partis, nous avons connu beaucoup de changements politiques, de violence et de drames. Malgré tout, ma famille a conservé le français, un peu comme un trésor qu'on se passe de génération en génération. Plusieurs personnes de ce village le…

Elle s'interrompit et serra les lèvres, comme si elle en avait déjà trop dit.

Tandis qu'elle continuait à nettoyer la blessure en silence, Alice en profita pour la détailler : Chan était très jolie avec ses sourcils dessinés en deux fines lignes au-dessus de ses longs cils. Ses cheveux noirs étaient remontés derrière sa nuque et fixés à l'aide de deux minces tiges de bambou. Une frange tombait sur son front, cachant par moments ses yeux noisette.

La Québécoise reporta son attention sur sa plaie. Elle était soulagée de constater que l'entaille était superficielle. L'homme ne lui avait pas menti.

Dans un geste rapide et sans avertissement, Chan versa de l'alcool sur la coupure.

— Ouaille ! Aïe !

Alice se tordit de douleur pendant que la Cambodgienne s'empressait de recouvrir la lésion d'une compresse qu'elle fixa à l'aide d'un bandage. Deux torrents de larmes se déversèrent sur le visage de la jeune blessée. Incapable de les essuyer, elle peinait à se ressaisir. Une série de hoquets incontrôlables la secouèrent.

Elle venait de fermer les yeux quand elle sentit les paumes de Chan se poser sur ses joues. Elle les rouvrit juste à temps pour la voir sécher ses larmes avec ses pouces.

Alice cessa de pleurer sur-le-champ. Le visage de la Cambodgienne était tout près du sien. Leurs regards s'accrochèrent et, pendant une fraction de seconde, tout ce qui les séparait disparut : leur apparence physique, leur façon de se vêtir, la culture orientale de Chan riche de plusieurs millénaires et celle, occidentale, d'Alice, imprégnée de modernité, leur histoire personnelle, et même ce moment, ce lieu et l'absurdité de cette situation. Elles n'étaient plus que deux adolescentes, deux êtres humains qui, à cet instant, se reconnaissaient l'un dans l'autre.

— Je suis désolée. Mais il fallait nettoyer la plaie pour prévenir toute infection, bredouilla Chan, troublée par ce qui s'était produit.

— Merci ! souffla Alice, qui avait déjà oublié la souffrance.

— Quelqu'un viendra te photographier plus tard, lui annonça subitement la Cambodgienne tout en déposant une bouteille d'eau près d'elle.

Et tandis qu'elle rangeait ses affaires, elle ajouta :

— En même temps, on prendra une photo de moi. Je suis contente. Je n'en ai pas de récente.

Alice se souvint tout à coup de l'homme qui l'avait détachée.

— Celui qui était là tout à l'heure est bizarre. Vraiment ! déclara-t-elle.

Elle cherchait un sujet de conversation pour que sa soigneuse improvisée reste encore un peu. Elle ne voulait pas se retrouver de nouveau seule.

Chan tourna la tête pour lui faire face. Ses yeux bridés avaient rapetissé en un trait minuscule.

— C'est mon père.

Alice avala sa salive. « Quand vais-je apprendre à me taire ? »

— Le nom de mon père est Thol. Je suis surprise qu'il t'ait blessée. Il n'est pas méchant, seulement complètement… Comment dit-on déjà en français ?

Elle réfléchissait. Alice hésitait à lui souffler le mot. Chan le trouva. C'était exactement celui qu'elle avait eu en tête :

— Cinglé… Oui ! Pas méchant, mais cinglé !

«Si elle veut me rassurer, c'est plutôt raté!» se dit Alice en commençant à ouvrir et à fermer les mains.

La jeune Asiatique lui conseilla de s'adresser à lui en l'appelant Lok Thol. *Lok* signifiait «monsieur».

Dehors, des gens discutaient rudement. Parmi eux, Alice reconnut la voix menaçante de Lok Thol.

«Sont-ils en train de débattre de ma mise à mort?»

Chan remarqua son affolement.

— Ce n'est qu'une réunion politique. Mon père est le chef du groupe.

Elle sembla soudainement en colère. Comme l'otage gardait le silence, elle indiqua:

— Il explique sans arrêt les mêmes choses. Depuis des mois, il tente d'implanter l'idée d'enlever des touristes. Il leur a répété cent mille fois que c'est la seule solution pour que les paysans récupèrent leurs terres. Si tu savais comme j'en ai marre! Et, depuis que j'ai quitté mon village, j'ai perdu toutes mes amies.

Elle tremblait d'émotion lorsqu'elle raconta que son père détestait de plus en plus qu'elle discute ses ordres.

— Il voit du danger partout. Il se sent constamment menacé. Si je ne pense pas comme lui, je suis du côté de l'ennemi.

Un long silence suivit cette confidence.

Puis, elle se redressa et demanda à Alice :

— Est-ce que tu as terminé tes études ?

Et, sans lui laisser le temps de donner une réponse, elle enchaîna :

— As-tu d'autres beaux pantalons comme celui-là ? Et de jolies blouses ? Jadis, au Cambodge, la coutume était de s'habiller dans la couleur du jour de la semaine : lundi, c'était l'orange, mardi, le violet, mercredi, le vert, jeudi, le gris-blanc, vendredi, le bleu, samedi, le noir et dimanche, le rouge.

Alice sourit. Elle imaginait toute une ville où les femmes, les hommes et les enfants portaient des vêtements de la même teinte jour après jour.

— À l'avenir, continua Chan, j'accepterai de venir te soigner et je proposerai de t'apporter à manger.

Dehors, le ton montait. Toujours assise à côté d'Alice, Chan tendait l'oreille.

— Tiens, tiens, il y en a qui ne sont pas d'accord avec mon père…

L'échange devint plus violent. Les voix dissidentes couvraient celle de Lok Thol. Finalement, la sienne supplanta toutes les autres.

Tout portait à croire qu'il était furieux. Alice avait l'impression qu'il s'en prenait à ceux qui s'opposaient à lui. Même s'ils discutaient en khmer, elle saisissait les tensions au sein du groupe.

— Avant, ils n'étaient pas comme ça…, soupira la Khmère. Ils bavardaient, ils riaient… Tous ces gens se connaissent depuis leur enfance.

— Depuis leur enfance?

— Oui. Ils sont du même village et ils ont été déplacés par le gouvernement.

Comme la réunion se poursuivait, elles avaient le temps de discuter.

— Lorsque ma mère vivait et qu'on habitait dans notre maison, sur notre propre terre, mon père était celui que les paysans venaient consulter sur tous les sujets de la vie quotidienne.

Alice perçut l'admiration dans les yeux de son interlocutrice.

— C'est lui qui organisait les corvées pour aider ceux qui n'avaient pas eu le temps de récolter le riz avant l'arrivée de la mousson. Il était invité à tous les mariages. Il présidait chaque fête. Et aujourd'hui encore, il possède une grande autorité sur eux.

La prisonnière avait peine à le croire. Elle revoyait le visage de Lok Thol agité de grimaces et de tics.

Sa fille avait sans doute deviné ses pensées, car elle lui révéla que son père agissait normalement lorsqu'il était en présence des paysans.

— Ses crises surviennent seulement le matin et le soir, jamais le jour! Je ne sais pas pourquoi.

Elle resta silencieuse, toujours assise aux côtés de la jeune captive. On aurait dit qu'elle n'avait pas envie de sortir de la hutte et d'affronter ces hommes qui criaient des slogans.

— Il y a longtemps que je n'ai pas eu l'occasion de parler avec quelqu'un comme toi. Tu sembles me comprendre, murmura-t-elle.

Alice était surprise. Tant de confidences et dans un contexte si particulier! Elle se sentait aussi très proche de Chan. Comme si elle était une vieille amie. C'était étrange… parce que la Cambodgienne restait quand même sa geôlière.

En réfléchissant à ce qu'elle venait de lui révéler, Alice mesurait combien la tristesse de la Khmère devait être lourde à porter. D'abord, elle n'avait plus sa mère et, ensuite, le matin et le soir, en sa présence, son père basculait dans une sorte de démence.

«Comment peut-on vivre chaque jour en côtoyant la folie?» se questionnait Alice.

Parce que c'est ce qu'elle déduisait du comportement de Lok Thol.

Elle ne comprenait pas pourquoi les villageois se laissaient diriger par cet homme. Elle se rappela que, quelques années auparavant, comme le lui avait expliqué Chan, il inspirait le respect et l'admiration.

«Peut-être que ceux qui l'écoutent entendent l'autre… celui qu'il a été et non celui qu'il est maintenant. Contrairement à Chan et à moi, ils n'ont jamais eu l'occasion de lire la maladie mentale dans son regard», s'expliqua-t-elle.

Profitant de ce moment d'intimité, elle implora la Khmère:

— Aide-moi à fuir, s'il te plaît!

Elle n'avait pas fini d'exposer sa requête qu'elle se rendit compte de son erreur. Chan bondit sur ses pieds et ouvrit la porte.

Alice regretta sa méprise. Elle venait de briser le lien ténu qui l'unissait à la fille de Lok Thol.

Avant de sortir, Chan se tourna vers elle.

— C'est mon père. Tu ne peux pas me demander ça! Je n'aurais pas dû te raconter toutes ces choses…

— Attends, ne pars pas! Je n'ai pas réfléchi avant de parler. C'était une erreur. Reviens…

Elle avait déjà disparu.

Figée, Alice fixait la porte en espérant qu'elle s'ouvrirait encore. Elle irait alors vers la Khmère et elle lui expliquerait qu'elles étaient, chacune à leur façon, des otages.

La porte resta close. Seule l'odeur de Chan habitait encore sa prison, maintenant doublement verrouillée.

Encore une fois, Alice dut puiser en elle la force de surmonter la solitude dont elle ne pouvait imaginer la fin.

« Désormais, je serai plus patiente. Je dois garder les yeux ouverts. Oui, être aux aguets, noter mentalement chaque détail pour comprendre ce qui se trame ici. C'est mon unique chance de sortir indemne de cet endroit. »

Elle se leva et chancela un moment tandis qu'une vive douleur irradiait dans son crâne.

Dehors, la réunion avait pris fin, car elle n'entendait plus rien.

La jeune détenue constata avec soulagement qu'elle pouvait maintenant bouger les mains et plier les doigts presque normalement.

Elle entreprit d'examiner les murs de la seule pièce de la hutte, cherchant un espace qui lui permettrait de voir à l'extérieur. Lorsqu'elle en décela un qui convenait, elle prit un crayon dans son sac à dos, l'inséra entre deux tiges de bambou et le tourna plusieurs fois pour élargir l'ouverture.

Rapidement, l'orifice fut assez grand pour qu'elle puisse y coller un œil.

Elle aperçut des gens qui circulaient en silence sur un chemin de terre. Ils semblaient fatigués, exténués même. Plus loin derrière eux, elle distingua une habitation sur pilotis en haut d'une butte. Sous la plateforme, une femme assise sur ses talons cuisinait autour d'un feu. Un hamac était accroché entre deux piliers et quelqu'un s'y balançait. Alice vit aussi une table et des chaises. Les résidents de la maison devaient manger là, protégés du soleil et de la pluie par la cabane montée au-dessus de leurs têtes.

Alice devina plus loin la présence d'autres maisons. Au milieu d'elles se profilait le clocher d'une église. Alice se rappela qu'elle avait entendu la sonnerie des cloches quelques minutes après son réveil dans la hutte. Elle était donc bel et bien retenue prisonnière dans un village, comme l'avait laissé entendre Chan.

Elle reporta son attention sur les passants. Ils revenaient des champs, car ils étaient coiffés d'un grand chapeau conique et portaient un râteau ou une pelle sur leur épaule. Des enfants munis de bâtons poussaient devant eux une multitude de canards. De gros bœufs les suivaient docilement. Plusieurs bovins transportaient sur leurs dos des oiseaux blancs.

L'adolescente était frappée par le nombre de personnes amputées d'une jambe, d'un bras ou d'une main. Elle en avait déjà compté huit. De tous les âges.

— Je vous en prie, aidez-moi, hurla-t-elle en français, puis en anglais.

Plusieurs adultes s'arrêtèrent. L'un d'eux fit signe aux enfants de s'éloigner, après quoi il resta là avec les autres, à contempler la prison de la jeune captive en souriant.

Alice se laissa tomber sur le sol, en proie au plus terrible découragement.

6

OÙ EST ALICE ?

La nuit enveloppait depuis peu le site d'Angkor. Jonathan avait vu Alice pour la dernière fois vers 8 heures, ce matin-là. Les policiers étaient arrivés à Angkor Thom quelques heures après qu'on les eut appelés. Ils avaient écouté Jean détailler les circonstances entourant la disparition de la Québécoise ainsi que les recherches entreprises. Puis, leur chef avait haussé les épaules et déclaré que la jeune fille était probablement partie à Siem Reap pour visiter les boutiques.

— Absurde, leur avait expliqué Jonathan. Ce n'est pas le genre d'Alice de laisser tomber les gens sans explication.

Ils étaient tous partis, sauf le policier qui traduisait les échanges du français au khmer et du khmer au français. Son nom était Radzi. Il avait demandé à son chef la permission de rester sur le site d'Angkor pour les aider.

Radzi avait terminé sa formation de gardien de la paix depuis peu. Il avait été très efficace pour réorganiser les fouilles et partager le travail entre les volontaires. En plus du français et du khmer, il parlait aussi l'anglais.

Après un moment, néanmoins, il était parti comme tous les autres. Mais avant de quitter le temple, il avait laissé son numéro de téléphone personnel en mentionnant que Jean pouvait communiquer avec lui s'il avait besoin de quelque chose.

Le reste de la journée, l'équipe de production, aidée de quelques touristes, avait poursuivi les recherches. Vers 17 heures, Jonathan et Jean s'étaient retrouvés seuls.

À présent, tous deux rodaient autour du Bayon à peu de distance l'un de l'autre. Jean ne voulait pas perdre de vue son neveu qui refusait d'abandonner. Heureusement, la pleine lune éclairait suffisamment les temples pour qu'ils s'y aventurent sans danger.

Ils escaladaient des escaliers à moitié rongés par le temps. Ils inspectaient des cavités remplies de pierres empilées. Ils sautaient de roche en roche pour atteindre des endroits difficiles d'accès, s'accrochant aux murs usés.

Jonathan était désespéré. Quand il ne criait pas le prénom d'Alice, il chantait. Si elle était blessée, elle l'entendrait. Le jeune homme traversait les pires moments de sa vie. L'éventualité de perdre son amie le terrifiait.

Il arpentait un lieu qu'il avait rêvé de visiter. Il avait lu qu'Angkor avait été «la plus grande ville du monde» au tournant des XIIe et XIIIe siècles. Et, à cet instant précis, c'était le cœur bouleversé qu'il hantait cet endroit mythique, vestige d'une civilisation étrangement disparue.

En voyant se découper dans la clarté jaune un visage de pierre, Jonathan se souvint d'un passage de son livre qui racontait que, pendant mille ans, les Khmers avaient érigé ces innombrables statues pour se relier au cosmos. Et voilà qu'il cherchait celle qu'il aimait parmi ces fragments de dieux.

Il voulait tellement la retrouver. Il se prenait à souhaiter que les pierres se mettent à bouger pour le conduire jusqu'à elle.

Il poursuivit frénétiquement son exploration jusqu'à ce que Jean s'approche de lui et lui parle doucement:

— Jonathan, nous devons rentrer à Siem Reap et nous rendre au commissariat de police. Je convaincrai les autorités d'ouvrir une enquête. Ensuite, nous téléphonerons aux parents de ton amie. Ils doivent être mis au courant. C'est inutile de rester ici. La cité d'Angkor est trop vaste. Moi aussi, j'ai espéré qu'Alice serait aux alentours de l'endroit où tu l'as vue pour la dernière fois. Mais ce n'est pas le cas.

Ils laissèrent enfin le site et marchèrent jusqu'à la route principale. Jean y arrêta un tuk-tuk et ils se firent conduire au commissariat. En chemin, les questions tournaient dans leurs têtes : Alice était-elle toujours vivante ? Comment allaient-ils annoncer sa disparition à ses parents ?

En arrivant au poste de police, Jonathan et Jean reconnurent Radzi. Il semblait préoccupé. En les voyant, l'homme se précipita vers eux.

— On cherchait justement à vous contacter. Il y a du nouveau.

Les deux Québécois le suivirent et pénétrèrent dans une salle aux murs jaunis par le temps et dépourvus de décorations. Seule une grande table de bois usée trônait au milieu de la pièce. Elle était entourée d'une quinzaine de chaises de métal à moitié rouillées.

Le chef de la police en personne se présenta et les pria de s'asseoir. Il fit de même et alluma son ordinateur tout en s'adressant à Jonathan et à Jean en khmer.

Radzi traduisit ses propos :

— Les ravisseurs ont pris contact avec le *Phnom Penh Post*. C'est le journal cambodgien anglophone le plus important.

— Ravisseurs…, répéta Jean à mi-voix tout en mettant une main devant sa bouche.

Jonathan blêmit. Alice avait été enlevée!

Devant le choc provoqué par ses paroles, le chef ajouta quelque chose en khmer que Radzi expliqua aussitôt:

— Il veut que vous regardiez la photo que le journaliste a publiée sur le site Internet du journal et que vous certifiiez qu'il s'agit bien de la jeune Miron.

Ils se penchèrent vers l'ordinateur que le policier avait poussé devant eux. Le visage apparaissant à l'écran était bien celui d'Alice. Incapables d'émettre le moindre mot, ils hochèrent la tête affirmativement.

— Et voici les revendications des ravisseurs, déclara l'interprète en prenant une feuille des mains du chef pour la tendre aux Canadiens.

Jonathan essuya ses joues du revers de la main avant d'entamer d'une voix tremblante la lecture du communiqué. Il était écrit en khmer et en français:

Les Forces paysannes khmères (FPK) promettent de libérer l'otage après la remise de leurs terres à tous les paysans expropriés.

Sans un mot, le chef se leva et sortit de la pièce sans prendre le temps de fermer la porte. Jonathan et Jean en restèrent abasourdis. Ils venaient d'apprendre qu'Alice avait été kidnappée et le policier les quittait !

— Est-ce que les parents de la jeune fille sont au courant de sa disparition ? leur demanda Radzi.

Jonathan fit signe que non tandis que son oncle, bouleversé, tenait toujours un poing devant sa bouche.

— Je pense qu'il est temps de les avertir, reprit doucement le policier-interprète.

Il glissa un téléphone devant eux. Voyant l'état pitoyable des deux étrangers, il leur proposa de parler le premier. Il mit le haut-parleur et composa le numéro que lui tendait Jonathan.

— Monsieur Claude Miron ? interrogea Radzi en anglais.

— Oui ?

— Je vous appelle du commissariat de Siem Reap, au Cambodge.

Après avoir décrit sa fonction, il apprit au père que sa fille avait disparu alors qu'elle visitait le site archéologique d'Angkor. Il divulgua ensuite les renseignements détenus par la police et omit sciemment de révéler qu'ils avaient renoncé à chercher la jeune fille au cours de l'après-midi.

Un long silence suivit cette annonce. Puis, ils entendirent monsieur Miron parler avec une femme. Jonathan la reconnut.

— Éva, la mère d'Alice, est avec moi, mentionna Claude. Elle écoute la conversation. Est-ce que son ami est aussi en danger?

Radzi lui répondit que non et qu'il se tenait près de lui dans la pièce.

— Jonathan, commença le père d'une voix tremblante, qu'est-il arrivé à notre fille?

L'adolescent s'effondra. Il se sentait coupable. À demi couché sur la table, la tête enfouie dans son bras, il pleurait. Heureusement, Jean avait repris contenance. Il saisit le téléphone et raconta les événements entourant la disparition d'Alice. Après quoi, il leur lut le communiqué.

Éva et Claude furent terrassés par la nouvelle.

Jean nota leur adresse courriel. Tout en sortant son ordinateur de son sac à dos, il leur demanda de patienter quelques minutes et de se tenir prêts à recevoir un message. Il se pencha ensuite vers Radzi pour le prier de lui donner le mot de passe du réseau Wi-Fi du commissariat. Il désirait envoyer aux parents d'Alice un hyperlien afin de leur permettre d'atteindre directement l'article du *Phnom Penh Post* qui avait diffusé la photo de leur fille.

Quelques minutes plus tard, les Miron voyaient Alice sur l'écran de leur ordinateur.

— Tout s'est passé tellement vite…, balbutia Jonathan à travers ses sanglots.

— Nous sommes convaincus que tu n'es pas responsable de ce qui est arrivé. Il faut maintenant mettre tout en œuvre pour retrouver Alice, affirma Claude d'une voix tremblante. Monsieur Vigneault…

— Appelez-moi Jean.

— D'accord, Jean. Qu'est-ce que c'est que cette histoire de remise des terres aux paysans ?

— Je ne sais pas. Radzi pourrait certainement nous éclairer sur cette question.

L'interprète se leva et ferma la porte de la salle. Après quoi, il les avertit que ce qu'il s'apprêtait à leur apprendre représentait son opinion personnelle et non celle de ses supérieurs.

— Nous comprenons, lui assura Claude. Cet entretien demeurera entre nous.

— Plusieurs Cambodgiens vivent un cauchemar, expliqua Radzi à mi-voix. Et je sais de quoi je parle, car mon père est une victime. Je vous explique : depuis 20 ans, les autorités du Cambodge exproprient les paysans et leur donnent en retour une compensation ridicule. Ce n'est ni plus ni moins que…

Il s'était brusquement arrêté.

— Que? insista Claude.

— Écoutez, monsieur Miron. Renseignez-vous. Je suis policier et je ne veux pas m'attirer d'ennuis. J'ai choisi ce travail dans l'espoir de faire cesser ces expropriations. Mais… ça semble impossible.

— Pourquoi? voulut savoir Éva.

— J'ai déjà trop parlé…

En entendant ces propos, Jean comprit qu'il devait intervenir. Il saisit le téléphone, appuya sur la touche pour remettre la conversation en mode privé et tendit le combiné à Radzi.

— La vie d'une fille de 16 ans est en jeu.

Le policier poursuivit ses révélations en chuchotant:

— Retrouvez l'article du journal français *Le Figaro* qui traite de la question. On y mentionne que le vol des terres par des proches du régime cambodgien aurait fait 700 000 victimes depuis 2002. Imaginez! Quelqu'un arrive chez vous et vous ordonne de quitter votre maison et d'abandonner vos champs parce qu'il en est devenu le propriétaire. Il vous donne quelques sous et vous êtes obligé de partir.

— C'est pour ça qu'on a enlevé Alice? s'écria Éva. Ils ne peuvent pas régler un tel problème en kidnappant une touriste!

Radzi était d'accord. Il souligna que les FPK, un groupe de paysans, avaient toujours été inoffensives, mais qu'elles semblaient désormais déterminées à utiliser la violence.

Puis, il se leva. Il devait retourner travailler. Avant qu'il ne parte, Jonathan remit le haut-parleur du téléphone en fonction tout en demandant à Radzi si une équipe serait réunie pour fouiller Angkor et y chercher des indices permettant de connaître l'identité des ravisseurs.

Le Khmer revint sur ses pas.

— Ne comptez pas là-dessus. Ils vont tout simplement attendre que les FPK se manifestent. Ils ont d'autres chats à fouetter, sans compter que...

Il ne termina pas sa phrase et sortit précipitamment.

Claude et Éva avaient saisi les propos du policier.

— Quels imbéciles! La vie de notre enfant n'a donc aucune valeur à leurs yeux? se révolta Éva, la voix chargée de chagrin.

Jonathan leur apprit que la police avait refusé de chercher Alice sur le site d'Angkor.

— Nous remuerons ciel et terre s'il le faut jusqu'à ce que notre fille soit libérée, proclama Claude.

Son assurance réconforta un peu les autres.

— Et la photo? Où a-t-elle été prise? s'informa Éva, qui contemplait sa fille depuis un moment en faisant tous les efforts possibles pour contenir sa peine.

— Probablement dans une hutte, estima Jonathan. On devine derrière elle un mur de bambou.

En examinant le cliché, Éva nota un détail:

— C'est étrange, je n'ai jamais remarqué qu'Alice avait un grain de beauté…

— Probablement une piqûre d'insecte, suggéra son mari.

— Où voyez-vous ça? les questionna Jonathan.

— Juste en bas de son oreille gauche.

Jean agrandit l'image. Un minuscule dessin exécuté maladroitement apparut.

— Ce n'est pas un grain de beauté ni une piqûre d'insecte, certifia-t-il. Je crois que c'est une marque apposée intentionnellement.

— Nous aurait-elle donné un indice? lança la mère de la jeune fille, fébrile.

— Oui, acquiesça son père. Et elle l'a fait en bordure de sa chevelure pour que ses ravisseurs ne le remarquent pas. Elle a dû repousser ses mèches en arrière à la dernière minute, juste au moment où ils prenaient le cliché.

Tous observèrent l'image en silence. Aucun doute. Ce dessin avait été fait intentionnellement.

— À votre avis, que représente-t-il ? s'enquit Claude.

Jonathan y voyait la lettre X.

— Je pense plutôt qu'il s'agit d'une croix, déclara Éva.

Après l'avoir examiné encore, tous tombèrent d'accord.

— Pourquoi une croix ? s'étonna Jonathan.

— Normalement, on trouve des croix dans les églises...

Tandis qu'elle parlait, Éva tapa dans un moteur de recherche : *Cambodge, religion*. Puis, elle les informa qu'au Cambodge, 90 % de la population khmère était bouddhiste, 5 % musulmane et les derniers 5 % se partageaient entre les autres religions, dont le catholicisme.

— C'est donc qu'il y a peu d'églises, résuma la mère d'Alice.

— On trouve aussi des croix dans les cimetières, tenta Jonathan.

— Oui, admit Éva. Mais ils sont souvent situés aux environs des communautés chrétiennes.

Claude s'interrogeait: comment sa fille avait-elle pu savoir qu'il y avait une église à proximité de son lieu de détention?

— Elle l'a peut-être vue au cours du trajet, ou... elle est emprisonnée près d'un endroit comme celui-là, suggéra le garçon.

— Elle a simplement pu entendre une cloche sonner, émit Jean, tout en fixant la photo.

— On repère l'église et on sauve Alice, décida Jonathan, la voix subitement chargée d'espoir. Ça ne devrait pas être difficile à localiser.

— Commencez par dénombrer les églises, conseilla Éva. Claude et moi prenons le premier avion pour le Cambodge. Et vous aurez besoin d'un traducteur...

Claude acquiesça. Il leur suggéra de communiquer avec Radzi.

— Bonne idée! dit Jonathan.

— Il est déjà 23 h 45, constata Claude. Jean, parlez à ce policier. Il voudra peut-être prendre des vacances pour nous servir de traducteur et nous assister dans nos démarches.

— Je crois que Radzi acceptera. Il nous a donné son numéro de téléphone personnel lorsqu'on recherchait Alice sur le site d'Angkor. Il est très préoccupé par le sort d'Alice.

Éva prévint Jean qu'elle allait lui envoyer un courriel mentionnant l'heure de leur arrivée à Siem Reap, ainsi que le nom de la compagnie aérienne qui les transporterait de la Thaïlande au Cambodge.

Jonathan et Jean promirent de les attendre à l'aéroport.

7

LE JOUR SUIVANT

Sourkea s'était levé tôt. Il avait parcouru les informations sur Internet et écouté les nouvelles diffusées à la radio et à la télévision. Il était satisfait : les médias avaient mordu à l'hameçon. Partout, on voyait la photo d'Alice Miron, et la demande des ravisseurs apparaissait en première page des journaux.

Lok Thol avait été réticent à accepter cette démarche qu'il trouvait trop agressive. Le communiqué final précisait que les FPK libéreraient l'otage « après la remise des terres aux paysans ». Lok Thol aurait souhaité qu'on écrive qu'Alice Miron serait relâchée « après que le gouvernement cambodgien se sera engagé à s'asseoir avec les paysans à une table de négociation supervisée par un organisme international ». Leurs points de vue divergeaient vraiment. Sourkea avait mis plusieurs jours à convaincre Lok Thol.

Mais Sourkea était patient. Il attendait toujours le moment opportun, l'instant où l'esprit de Thol s'embrouillait suffisamment pour qu'il adopte sans contester une nouvelle idée. Lok Thol avait finalement appuyé ses positions lors de la dernière réunion des FPK, malgré les protestations de quelques membres.

Sourkea lut l'éditorial des principaux journaux et écouta les reportages liés à l'enlèvement. Il était déçu. On parlait beaucoup trop de la perte des terres des paysans et de leurs revendications. Certains médias leur donnaient raison, tout en signalant qu'ils avaient commis une erreur en kidnappant une jeune Canadienne.

Étonné, Sourkea se rendit compte qu'on critiquait même la politique d'expropriation du gouvernement. Ce n'était réellement pas le but de cette opération!

Heureusement, il avait une autre carte dans son jeu: l'échantillon de sang d'Alice Miron. Il n'avait pas été difficile à obtenir. Il avait ordonné à Chan de laver le pantalon de l'otage et de lui prêter un sarong afin qu'elle soit présentable pour la photo. Lorsque la fille de Lok Thol était sortie de la hutte après avoir soigné la prisonnière, Sourkea se tenait en bas de l'échelle. Il lui avait donné un colis à porter à son père. Chan avait posé ses affaires par terre et elle était partie à sa recherche.

En son absence, Sourkea avait découpé un morceau du vêtement ensanglanté. Il l'avait glissé dans un sachet en plastique et mis dans une boîte qu'il avait enveloppée soigneusement. Ensuite, il avait chargé Ary Ol de la livrer à un reporter. Il espérait, cette fois, que le jeune homme respecterait ses instructions à la lettre.

Sourkea souhaitait maintenant que son ami journaliste, à qui il avait envoyé le précieux colis, réagisse rapidement et publie un article. Alors, le ton changerait du tout au tout et on assisterait à une condamnation en bonne et due forme des Forces paysannes khmères.

La police saisirait la pièce de tissu. Après les analyses d'ADN, on confirmerait qu'il s'agissait bien du sang d'Alice Miron. On présumerait qu'elle avait été torturée par les preneurs d'otage. L'opinion publique s'enflammerait. Des voix s'élèveraient pour dénoncer telle ou telle personne membre des FPK. Un climat de peur s'installerait, ce qui découragerait ceux qui réclamaient justice pour la perte de leurs terres.

Ce raisonnement rassura Sourkea.

8

LA DURE RÉALITÉ

Le chant du coq et les aboiements des chiens réveillèrent Alice. Elle émergeait d'une nuit agitée. Étendue sur une mince natte de bambou, sans couverture ni oreiller, elle avait compté les secondes jusqu'à ce qu'elles se transforment en minutes, puis en heures. Elle s'était finalement endormie, épuisée.

Elle se leva et observa les environs par le trou qu'elle avait ouvert dans le mur, la veille. Une voiture s'était arrêtée à proximité de la hutte et un homme patientait debout, les reins appuyés à la portière. Il fumait une cigarette et, de temps en temps, il passait sa main libre dans ses cheveux noirs coupés en brosse. Alice remarqua qu'il portait des vêtements soignés, qui détonnaient avec ceux des paysans.

Lok Thol arriva. L'inconnu considéra le père de Chan avec un regard hautain. Lok Thol semblait petit comparé à lui. Il joignit les paumes de ses mains à plat l'une contre l'autre et les leva devant son front tout en s'inclinant.

Alice trouva ce comportement étrange. Elle avait eu l'occasion de voir les Cambodgiens saluer de cette façon. Par contre, ils portaient leurs mains seulement à la hauteur de la poitrine.

L'homme parla longtemps. Lok Thol se contentait d'écouter. Finalement, l'individu glissa quelque chose dans la main du père de Chan et il lui donna quelques tapes amicales dans le dos. Après quoi, il monta dans sa voiture.

Alice quitta son poste d'observation. Elle avait de nouveau faim et soif. La veille, elle avait hurlé pour réclamer à boire. Chan était venue et lui avait offert une petite bouteille d'eau et deux bananes, et elle en avait profité pour lui apprendre comment s'exprimer convenablement afin d'obtenir ce dont elle avait besoin.

— Pas mal de gens ici ne comprennent pas le français, lui avait-elle expliqué. Je ne serai pas toujours là pour t'assister. Si tu désires manger, c'est: *kioum choung ban*, qui signifie "je voudrais", et tu ajoutes *niam*, qui veut dire "manger". Pour boire, tu répètes *kioum choung ban*, et le verbe "boire", c'est *niam teuk*.

— Et comment se traduisent "bonjour" et "merci"? l'avait interrogée Alice, reconnaissante envers Chan pour son aide.

— "Bonjour", c'est *souô sadaï*, et "merci", *orkun*.

— *Orkun, Chan !*

Plusieurs heures s'étaient écoulées depuis qu'elle avait avalé ce maigre repas et, en plus, elle avait une envie pressante d'aller aux toilettes.

Comme elle n'avait pas appris le mot en khmer, elle cria simplement :

— *Kioum choung ban…* toilettes !

Rapidement, un jeune homme entra. Son regard doux la surprit. L'ovale parfait de son visage accentuait le mystère qui se dégageait de ses yeux bridés et des cheveux noirs qu'il portait assez longs.

Il fit trois pas et déposa un seau au milieu de la pièce en lui faisant comprendre par des mimiques qu'elle devait l'utiliser.

Humiliée, elle ne voulait pas faire ses besoins là-dedans.

Subitement, le nouveau venu se mit à chantonner :

— Misérable intestin ! Asticot de cimetière ! Machine à respirer ! Squelette obèse ! Voleuse de trous de chaussettes !

« Un autre fou, pensa la jeune otage. Je suis prisonnière dans un village d'aliénés ! »

Effrayée, elle se cantonna à l'endroit le plus éloigné de la porte de la hutte.

«Est-ce qu'il va me frapper? Il ne maîtrise même pas ses paroles…»

Elle le vit avec soulagement sortir de la hutte. Lorsqu'il revint plus tard reprendre le seau, il répéta la tirade sur le même ton.

L'adolescente remarqua cette fois que, si son langage était stupide et incohérent, sa tenue vestimentaire était soignée, ses ongles courts et propres, et il s'inclinait poliment tout en débitant ses absurdités.

Elle réclama quelque chose à manger:

— *Kioum choung ban niam.*

Il ouvrit la porte et Alice crut entendre un léger «OK».

Puis, elle fut de nouveau seule. Alors, la peur revint, froide et insensible. Elle tenta d'occuper son esprit à se remémorer Jonathan, mais elle se mit aussitôt à pleurer.

Le drôle de jeune homme interrompit sa crise de larmes et lui tendit un bol.

— *Khao phoun…*

Il traduisit les mots khmers en français:

— … Soupe de riz à la noix de coco! Boudin attardé!

Alice ne put s'empêcher de sourire à cette nouvelle insulte. Elle aurait aimé savoir où il avait appris le français. Elle le fixa un instant et crut percevoir sur son beau visage un éclair de plaisir.

Quand il sortit, elle goûta au potage. Il était excellent! Elle mangea le plus lentement possible pour passer le temps. Lorsque le bol fut vide, elle colla son œil contre le mur. Il n'y avait personne en vue, sauf la femme qu'elle avait aperçue en train de cuisiner, occupée cette fois à laver des vêtements dans une cuve.

La jeune fille se rassit. Son ventre émettait de drôles de bruits. Son estomac ne parvenait pas à digérer la soupe qui se précipitait dans ses intestins à une vitesse folle. Alice éprouva un besoin urgent d'utiliser le seau, même si l'idée lui déplaisait. Elle attendit le plus longtemps possible jusqu'à ce qu'elle ne puisse plus se retenir. Alors, elle le quémanda en hurlant.

Le jeune Cambodgien apparut presque immédiatement.

— Mouton idiot! Suceur de sang! Couvercle d'égout! Misérable coquerelle!

La détenue se réfugia de nouveau contre le mur.

Plus tard, ce fut Chan qui vint chercher le seau. Elle le sortit pour le vider et le rincer, après quoi, elle lui proposa de changer son pansement.

— Comment va ton mal de tête?

Alice se rendit compte qu'elle n'avait plus de douleur. Elle palpa son crâne à l'endroit où elle avait été frappée et découvrit une grosse bosse.

La Khmère s'était assise à ses côtés. Elle avait mis dans son sac ce qu'il fallait pour nettoyer la plaie.

Alice en profita pour l'interroger :

— Est-ce que tu sais pourquoi on me garde prisonnière ?

— Tu es leur arme… Ils veulent se servir de toi pour négocier.

L'adolescente kidnappée acquiesça en silence, même si un flot de questions se pressait dans son esprit. Qui étaient ces gens ? Pourquoi l'avait-on enlevée ? Est-ce que Lok Thol avait l'intention de la tuer ? Sinon, combien de temps la garderait-on captive ?

— Négocier quoi au juste ? tenta-t-elle.

Chan pinça un moment les lèvres, puis elle fit signe qu'elle allait lui révéler ce qu'elle voulait savoir.

Alice souffla. Enfin, elle en saurait un peu plus !

La Khmère parla lentement. Elle déplora que, depuis 20 ans, plus de la moitié des terres cultivables du Cambodge soient passées aux mains d'entreprises privées. En quelque sorte, les terres étaient confisquées.

La jeune Québécoise comprenait difficilement comment on pouvait voler des terres.

— Le paysan reçoit un avis l'informant qu'on va démolir sa demeure sept jours plus tard et qu'il doit quitter les lieux, lui apprit Chan. Parfois, ils ne sont même pas avertis. Les bulldozers arrivent, jettent la maison par terre et écrasent tout ce qui est resté dedans. La famille se retrouve sans logis et sans moyen de subsistance. Souvent, on déplace les gens dans un endroit isolé, là où ils ne peuvent plus cultiver la terre, où il n'y a pas d'eau potable ni d'école pour les enfants.

Chan expliqua que cela s'appelait une expropriation parce que le gouvernement donnait de l'argent, même si ce n'était qu'une compensation ridicule qui ne représentait en rien la valeur de ce qui avait été pris. Ici, dans ce village, une centaine de paysans ayant tout perdu travaillaient pour les nouveaux propriétaires de rizières. Ils recevaient tout juste de quoi nourrir leur famille. C'étaient ceux-là qui venaient aux réunions que son père organisait. Lok Thol voulait leur porter secours. Ses motivations étaient humanitaires.

— C'est une situation terrible, conclut-elle. Et nous ne pouvons compter sur personne pour nous défendre. Les juges rejettent toutes les requêtes des paysans, sans même les étudier. Et la police joue le jeu du gouvernement et l'aide à voler les terres.

Ces propos rappelèrent à Alice ce que son professeur d'éthique lui avait inculqué : la véritable démocratie passait par la séparation des pouvoirs (exécutif, législatif et judiciaire). La concentration des pouvoirs dans les mains d'un seul constituait un régime dictatorial. Maintenant seulement, elle comprenait la portée de cet enseignement.

Elle hocha la tête.

— Je comprends pourquoi ils m'ont enlevée. Ils savent que, partout dans le monde, les médias parleront de la Canadienne prise en otage au Cambodge. Les gens voudront en savoir plus et ils l'apprendront en lisant les revendications du groupe de ton père.

Chan approuva.

— Oui, et les résistants se font appeler les FPK : les Forces paysannes khmères.

— D'accord. Alors, on prendra connaissance des exigences des FPK et, par la même occasion, on découvrira les problèmes que vivent les paysans cambodgiens. Ceux qui me séquestrent obtiendront une couverture médiatique. Grâce à elle, ils espèrent qu'on viendra les soutenir. C'est ça ?

— Oui, confirma la Khmère. C'est bien ça. Ils comptent sur l'aide internationale. C'est leur seule chance d'obtenir justice !

— Je ne suis pas certaine que ça marche… Réfléchis : enlever quelqu'un, c'est un crime ! Et on n'aide pas les criminels !

Elle plaqua ses deux mains devant ses yeux.

— Oh non ! Je ne reverrai pas la lumière du soleil de sitôt !

— Tu te trompes… peut-être, murmura Chan en se levant. Mon père affirme que tu seras relâchée sous peu. Ce serait une question de jours. Le communiqué avec ta photo a déjà été envoyé.

Alice la dévisagea. Elle avait perçu du découragement et beaucoup de tristesse dans la voix de la Khmère. Elle l'avait suffisamment côtoyée pour comprendre que celle-ci ne croyait pas un mot de ce que Lok Thol racontait. Il n'y avait aucun doute : sa libération n'était pas pour bientôt.

La voyant partir, elle supplia Chan de rester encore un peu :

— Oh ! S'il te plaît, ne me laisse pas ici toute seule.

— Je ne peux pas. Ils ne…

La Khmère ne poursuivit pas sa phrase. Ses yeux s'embuèrent.

Spontanément, Alice la prit dans ses bras et murmura à son oreille :

— Si je le pouvais… je t'aiderais.

— Sérieusement ?

— Oui ! Toi aussi, tu es une victime dans toute cette histoire. Différemment de moi, mais une victime quand même.

Chan pleurait toujours et Alice essuya ses larmes comme la Khmère l'avait fait pour elle, la veille. Leurs regards se croisèrent un moment et, encore une fois, chacune reconnut dans l'autre son propre désespoir.

— Hier, tu as dit : "Mais qui cherche à savoir qui je suis réellement ?" Eh bien… moi, je veux savoir qui tu es !

Elles s'assirent sur le sol face à face, en silence. Toutes deux restaient plongées dans leurs pensées. Elles avaient l'impression de se rencontrer une nouvelle fois, ailleurs. Là où il n'y avait pas de races, ni d'otages, ni de gardiens, ni de guerres, ni de conflits ou de revendications.

Les deux adolescentes nouaient une étrange relation. Chan était la geôlière d'Alice et aussi son amie. Elle était sa prison et son évasion. Chan l'obligeait à comprendre son monde. Un univers si loin du sien, à des milliers de kilomètres du confort cinq étoiles dont elle bénéficiait au Canada. Là-bas, elle avait le ventre plein et le corps bien propre dans des vêtements frais.

Ici, les gens se mesuraient à des problèmes aussi fondamentaux que se nourrir, avoir de quoi s'habiller et un toit pour se protéger des intempéries. Rien de plus. Pas de superflu. Chaque jour se jouait leur survie. Et ils n'étaient même pas maîtres d'eux-mêmes. Alors que, en Amérique du Nord, souvent on ne savait pas quoi faire de toute cette liberté.

La jeune Khmère se leva et sortit en faisant un léger signe de la main, tandis qu'Alice replongeait dans sa solitude.

Elle étouffait dans l'air chaud et humide de la hutte. Elle rêvait de se laver la figure. Jusqu'à maintenant, elle avait refusé de gâcher l'eau qu'on lui offrait à boire. C'était déjà trop peu.

Elle inspecta sa blouse et les marques de sang qui maculaient les manches. Elle avait aussi taché la pièce de tissu que Chan lui avait prêtée. Cela lui rappela que sa nouvelle amie ne lui avait pas rendu son pantalon sous prétexte qu'il était déchiré. Elle avait promis de le recoudre avant de le lui rapporter. Alice s'en moquait. Un sarong s'avérait finalement plus pratique pour s'accroupir au-dessus du seau. Elle espérait juste que sa réserve de papier de toilette ne s'épuiserait pas trop vite. Heureusement, elle avait la bonne idée d'en garder dans son sac lorsqu'elle voyageait.

Elle traça une autre ligne sur le mur. C'était sa deuxième journée d'otage. Elle ne voulait pas perdre conscience du temps qui passait.

Retournerait-elle à Montréal? Reverrait-elle un jour son père, sa mère et son amoureux? Elle aimait tant le sourire immense de Jonathan, qui transformait ses traits et éclairait son visage.

Elle se souvint de la première fois qu'elle avait rencontré le jeune chanteur. C'était à l'école de musique. Ils travaillaient deux par deux pour s'entraîner à la dictée musicale. L'un jouait d'un instrument tandis que l'autre écrivait les notes sur la portée en prenant soin de distinguer les noires des blanches et les croches des rondes. Il ne fallait rien laisser au hasard, ni les notes ni les temps.

Jonathan savait que c'était le jour de l'anniversaire d'Alice, car il lui avait remis une partition très particulière. En la corrigeant, elle découvrit une belle mélodie jazzée, inspirée de la chanson *Bonne fête*, ce qui, évidemment, n'avait rien à voir avec la leçon.

Au cours du second semestre de leur quatrième année du secondaire, ils ne s'étaient plus quittés. Ils partageaient de nombreux goûts : le cinéma, le vélo, les promenades dans la ville, le chocolat et l'amour de la musique.

« Jonathan et Jean ont-ils contacté mes parents à Bangkok ? Sûrement. Ils ne tarderont pas à venir à Siem Reap. Ils doivent être morts d'inquiétude... »

La porte de la hutte s'ouvrit, interrompant ses réflexions.

Chan réapparut et lui offrit un bol de soupe.

— Non, merci, je n'ai pas faim, mentit Alice, car elle ne voulait pas être de nouveau malade.

— Alors, je la mange.

La Cambodgienne s'installa sur la natte d'osier.

La prisonnière tenta d'obtenir d'autres éclaircissements sur sa détention :

— Tu me disais hier que ton père était complètement cinglé. Explique-moi pourquoi.

Chan réfléchit. Elle avalait chaque bouchée lentement. Après une éternité, elle termina sa soupe, se leva et rouvrit la porte.

Le soleil traça une ombre oblique sur le sol.

— Tu n'as pas lu l'histoire de ce pays? l'interrogea-t-elle, sans se retourner.

— Non. À l'école, au Canada, on n'apprend pas grand-chose sur le Cambodge.

Sa nouvelle amie lui fit face.

— Notre passé est digne d'un roman d'horreur... Crois-moi!

Et elle ajouta tristement:

— Tu sais, un jour, mon pays est devenu fou!

Sans un mot de plus, elle partit, emportant avec elle le rayon de soleil.

Pendant qu'elle l'entendait encore descendre l'échelle, Alice lui lança:

— *Orkun!*

9

LES PARENTS D'ALICE

Le lendemain du jour de la disparition de leur fille, Claude et Éva arrivèrent à Siem Reap. Alice était séquestrée depuis plus de 30 heures.

Jonathan et son oncle les accueillirent à l'aéroport. Ils s'enlacèrent un moment avant de se diriger vers la sortie.

— Je vous conduis à la Villa Apsara, les informa Jean. On y a déménagé, car aucune chambre n'était libre à notre hôtel pour vous recevoir. J'ai pensé qu'on devrait tous loger sous le même toit.

— C'est une bonne idée, reconnut Claude. Je...

— Avant de nous rendre à la Villa Apsara, l'interrompit Éva en ouvrant la portière de la voiture de Jean, j'aimerais rencontrer le chef de police pour savoir où en est l'enquête.

Jean lui mentionna qu'il avait déjà communiqué avec lui et qu'il ne semblait pas le moins du monde préoccupé par l'enlèvement d'Alice. Aucune fouille d'Angkor n'avait encore été organisée.

— Comme l'avait prédit Radzi, commenta Jonathan en grimaçant.

Ils montèrent dans le véhicule et Jean emprunta la route qui menait au commissariat. Il en profita pour leur annoncer que Radzi avait accepté de travailler pour eux. Le matin même, il avait obtenu de son chef la permission de prendre des vacances.

— Il était heureux de l'offre que je lui ai faite, raconta Jean. La cause des paysans khmers lui tient à cœur. Je lui ai dit qu'on partirait demain, à la première heure, pour entreprendre la visite des églises.

Éva consulta sa montre : elle indiquait 16 h 15.

— Tu as raison, aujourd'hui, c'est trop tard !

— Nous avons convenu d'inspecter les lieux de culte qui se situent à proximité de Siem Reap et ensuite d'élargir peu à peu nos recherches.

Claude hocha la tête. L'image de sa fille, prisonnière de ce groupe de paysans rebelles, surgissait à tout moment dans ses pensées. Il priait pour qu'on ne lui fasse aucun mal.

Éva saisit son bras et le serra affectueusement.

— Soyons courageux !

Le trajet se fit en silence, ponctué malgré tout par les sanglots de la mère d'Alice et les raclements de gorge de son père.

Ils arrivèrent au poste et entrèrent en se faufilant entre les agents qui poussaient brutalement des suspects devant eux. Comme on les laissa patienter longtemps sur des bancs de bois, ils eurent tout le loisir de voir le *modus operandi* de la police cambodgienne.

Lorsque Radzi les aperçut, il vint à leur rencontre et leur parla à voix basse : dès le lendemain, il leur consacrerait tout son temps. Il se rendit ensuite dans le bureau du chef pour lui rappeler que les Canadiens attendaient dans le corridor depuis plus d'une heure. Son intervention porta ses fruits, car quelques minutes plus tard, son supérieur les reçut enfin. Ils prirent place sur les chaises tandis que le chef restait debout, les fesses appuyées contre sa table de travail et les mains sur les hanches.

Radzi se tenait dans un coin de la pièce. Il traduirait la discussion au fur et à mesure.

— L'un de mes hommes a parlé avec monsieur Jean Vigneault ce matin, commença le chef en pointant le menton vers lui. Depuis, il n'y a eu aucun fait nouveau dans cette affaire.

Éva insista pour connaître les moyens qui avaient été mis en œuvre pour retrouver Alice. Le policier haussa les épaules sans émettre la moindre réponse.

— Nous comptons effectuer quelques recherches de notre côté, déclara alors la mère de l'otage d'une voix forte.

Le visage du chef passa au mauve quand il entendit la traduction. Il enleva ses lunettes et se pencha vers Éva en articulant lentement en khmer des paroles que Radzi rapporta aussitôt en français :

— Madame, restez en dehors de cette affaire.

Et, se tournant vers Claude, il continua sur le même ton :

— Rappelez-vous qu'en aucun cas, vous ne devez entraver le travail des policiers.

Jonathan eut envie de rétorquer : « De quel travail s'agit-il au juste ? » Il se retint.

Tous quatre quittèrent prestement les lieux et se dirigèrent vers la Villa Apsara.

— Je vous laisse ici, les avisa Jean lorsqu'ils furent arrivés. Je vais saluer mon équipe de production. Ils repartent tôt demain matin pour Montréal. Il n'est pas question de poursuivre le projet d'opéra tant et aussi longtemps que votre fille n'aura pas été retrouvée.

Les parents d'Alice le remercièrent. Ils s'installèrent dans leur chambre, tandis que Jonathan faisait plus ample connaissance avec le personnel de la Villa. Il pensait que leur aide pourrait être précieuse.

Vers 20 heures, tous se rejoignirent au restaurant. Un serveur s'approcha immédiatement de leur table. Jonathan le reconnut. Il avait discuté avec lui un peu plus tôt. Son nom était Mao.

— Allô, Jonathan, lança ce dernier joyeusement.

Ils poursuivirent la conversation en anglais.

— J'ai parlé à ma mère, leur signala Mao. Elle affirme que les églises les plus importantes du Cambodge se trouvent à Phnom Penh et dans les environs de Siem Reap. Il y a aussi une nouvelle communauté qui s'est installée dans la région de Battambang.

Claude regarda l'ami de sa fille avec tendresse. Il admirait sa sensibilité, son intelligence et sa détermination. Jonathan était capable de se projeter au-delà de son chagrin afin de prendre les choses en main.

10

ESPOIR

Le matin de son troisième jour de séquestration, Alice fut réveillée par Chan. Elle avait de nouveau mal dormi. La faim l'avait tenaillée toute la nuit et sa bouche était si sèche que plus une goutte de salive ne se formait sous sa langue.

Aussitôt dans la hutte, la Khmère sortit de son sac quatre grandes bouteilles d'eau et un petit sachet en plastique qui semblait contenir de quoi manger. Alice se jeta sur une bouteille et la but en entier, après quoi elle découvrit le riz cuit sans sauce ni épices. Il serait donc facile à digérer. Elle l'engloutit bouchée après bouchée en faisant tous les efforts du monde pour mastiquer un peu avant d'avaler.

La douleur dans son estomac s'apaisa enfin.

Entre-temps, Chan avait déposé sur le sol un récipient et une serviette.

— Lave-toi ! lança-t-elle à Alice, surprise de cette attention particulière.

Puis, elle sortit sur la galerie et rapporta le seau.

La prisonnière était soulagée que ce ne soit pas le jeune homme qui s'occupe de cette tâche. Même si elle avait moins peur de lui qu'auparavant, elle préférait la présence de la fille.

La veille, il s'était comporté de façon étrange. Alice avait eu l'impression qu'il souhaitait lui révéler quelque chose d'important. En entrant dans la hutte, il l'avait interrompue alors qu'elle hurlait des insultes à Lok Thol à travers le mur de bambou.

Il avait prononcé très lentement quelques mots en khmer :

— *Pông moan kon chul noeung thmâr.*

Alice lui avait répliqué qu'elle ne comprenait pas sa langue. Il avait ignoré sa remarque et avait pointé les murs de la hutte dans un mouvement de va-et-vient qui signifiait : «On pourrait m'entendre.» Du moins, c'est ce qu'elle avait compris. Ensuite, il avait répété la phrase en khmer à trois reprises, comme s'il tenait à ce qu'elle l'apprenne par cœur. Ce qu'elle avait fait, d'ailleurs.

— *Pông moan kon chul noeung thmâr,* murmura-t-elle d'une voix presque inaudible.

Elle voulait vérifier si elle pouvait la prononcer comme lui.

Chan, agenouillée derrière elle pour brosser ses cheveux, lui fit face.

— Qu'est-ce que tu as dit ?

Alice hésita avant de répondre. Elle pesait
le pour et le contre. Elle aurait aimé que Chan
traduise les propos du jeune Khmer, mais
elle n'était pas certaine que ce soit une bonne
idée. Même si elle se sentait de plus en plus
proche de la fille de Lok Thol, elle ne devait
pas oublier qu'il était le chef du groupe qui
la retenait captive.

Après avoir tourné et retourné le problème dans sa tête, elle jugea qu'au point où
elle en était, elle n'avait rien à perdre.

Elle répéta donc chaque mot en khmer
en prenant soin d'imiter l'accent.

Étonnée, Chan voulut savoir où elle avait
entendu ça. Alice mentit et affirma qu'elle
avait saisi la phrase à travers le mur, et que
des enfants l'avaient reprise tour à tour en
riant aux éclats.

La jeune Cambodgienne la crut.

— Ça signifie : "Œuf, ne te heurte pas au
rocher." C'est un avertissement, une sorte
d'appel à la prudence.

« Il me prévient de ne pas me mesurer à
Lok Thol, en déduisit Alice, étonnée. Serait-il
un allié ? »

Une vague d'espoir la submergea, même s'il était trop tôt pour sauter aux conclusions. Elle devait attendre un autre signe avant de lui faire confiance.

Chan la laissa seule avec le seau. Lorsqu'elle revint plus tard, la Cambodgienne changea son pansement, puis elle lui annonça triomphalement qu'on la libérerait aujourd'hui.

— Aujourd'hui? répéta la détenue, les yeux écarquillés.

Elle avait de la difficulté à le croire. Elle ne s'était jamais imaginé que sa séquestration pourrait se terminer aussi rapidement.

— Oui, la rassura Chan. Ramasse tes affaires. Nous partons tout de suite. Le transport sera là sous peu. Ne laisse rien ici!

Excitée, Alice s'exécuta à toute vitesse. Quand elle eut remis ses quelques possessions dans son sac, elle descendit l'échelle de la hutte. Elle s'arrêta sur le dernier barreau et attendit que ses yeux s'habituent à la lumière éblouissante du matin.

Un éclair de bonheur parcourut son corps lorsqu'elle mit pied à terre. Elle renversa la tête et le ciel lui parut infini. Le soleil se levait à l'horizon. Des oiseaux dansaient dans la brume qui courait au-dessus de la masse vert émeraude des rizières. Les arbres au loin semblaient dessinés au crayon de plomb très pâle. Quelques huttes sur pilotis au toit de bambou s'élevaient derrière de grandes herbes vert olive.

Alice respira avidement l'air rempli d'odeurs de terre et de plantes. Bientôt, elle serait avec ses parents et Jonathan. Elle était aussi enthousiaste à la perspective de retourner en ville, de prendre une douche, de revêtir des vêtements propres et de se faire préparer des spaghettis par le restaurant de l'hôtel.

Elle attendait au bord de la route, son sac à dos en main, et Chan, silencieuse, à ses côtés. L'étrange jeune homme qui lui apportait le seau et qui l'avait prévenue de ne pas se heurter à Lok Thol arriva.

— Sin. Il s'appelle Sin. Il est beau, n'est-ce pas? chuchota Chan à son oreille.

Alice approuva. Oui, il avait un charme particulier. Hors de la hutte, elle avait toute la lumière du jour pour mieux l'observer. Ses traits asiatiques étaient d'une finesse et d'une perfection inhabituelles. Son visage exprimait une patience infinie. Il avait quelque chose du Bouddha, quand il ne déclamait pas ses âneries, bien sûr.

— Il parle très bien français! C'est étonnant, constata-t-elle.

— Oui. Il a passé une partie de son enfance entre la France et le Cambodge. Son père travaillait pour le ministère des Affaires étrangères à Paris.

Une camionnette se rangea au bord du chemin. Le chauffeur en descendit et Lok Thol prit le volant. Sin grimpa à ses côtés tandis qu'un homme venait vers eux au pas de course. Alice le reconnut grâce à ses cheveux coupés en brosse. Elle l'avait souvent observé depuis sa hutte. Elle le regarda se pencher vers la vitre ouverte du véhicule et s'entretenir avec Lok Thol.

Le moteur tournait déjà quand on les invita à monter à l'arrière. Deux individus d'une vingtaine d'années s'assirent à côté d'elles sur des bancs d'appoint. Ils portaient leur *krama*, le foulard traditionnel cambodgien à carreaux mauves et blancs, enroulé autour de leur tête. Les deux jeunes hommes ne leur adressèrent pas la parole.

Alice était heureuse de voyager à l'arrière de la camionnette. Elle profiterait de l'air, du soleil et du vent qui lui avaient tant manqué.

— Est-ce que le trajet sera très long ? questionna-t-elle.

Chan haussa les épaules.

Ils prirent la route et, après quelques kilomètres, Alice implora Chan de lui raconter comment son pays était un jour devenu fou. Elle n'aurait peut-être pas d'autres occasions de l'apprendre.

— Trois ans, huit mois et vingt jours…

Ce fut avec ces mots que la Khmère amorça son récit. Elle expliqua que, en trois ans, huit mois et vingt jours, plus de 1 700 000 personnes avaient été tuées. Cela représentait à peu près le quart de la population du Cambodge.

— Le génocide a été commis entre 1975 et 1979. Pol Pot était le chef d'un mouvement politique surnommé les Khmers rouges et il a aussi été, pendant cette période, premier ministre du "Kampuchéa démocratique". C'est comme ça qu'on appelait alors le Cambodge. Pol Pot a fait vivre à son peuple les pires atrocités. Tout a commencé un matin comme les autres. Sauf que, ce jour-là, les Khmers rouges ont décidé de vider Phnom Penh, la capitale, de ses trois millions d'habitants.

— C'est plus que la population qui vit sur l'île de Montréal ! s'exclama Alice.

— Oui, c'est beaucoup de monde. Les Khmers rouges parcouraient les rues en disant qu'il fallait fuir parce que les Américains bombarderaient sous peu. Mais c'était faux.

Ils voulaient juste que les gens sortent de la ville. Ceux qui ont refusé de partir ont été tués. Arrivés à la campagne, tous ont compris qu'ils étaient devenus des esclaves.

«Pendant ce temps, en ville, ils détruisaient tout ce qui ressemblait au progrès : les téléviseurs, les radios, les appareils ménagers, les horloges... Des bibliothèques entières ont été brûlées et aussi tous les diplômes, titres de propriété, papiers d'identité, permis de conduire, les livres de médecine, de droit, d'architecture, d'ingénierie...

«Tout un monde évolué a été effacé. Car l'Angkar, l'organisation des Khmers rouges, avait décidé que la notion même de ville devait disparaître parce qu'elle était le symbole de la corruption, du luxe, de l'étranger et du mal.

«L'Angkar a banni les tribunaux, les écoles, les cinémas, les librairies, les cafés, les restaurants, les hôpitaux, les commerces, les automobiles, les ascenseurs, les magazines, les cosmétiques, le téléphone, le vin, les brosses à dents... TOUT!

«Pour les Khmers rouges, les individus se divisaient en deux classes : les purs, ceux qui cultivaient la terre et vivaient simplement, et les ennemis, ceux qui désiraient poursuivre dans la voie de la modernité.

«Les personnes qui avaient trop d'éducation n'avaient aucune chance de s'en tirer : les professeurs, pharmaciens, géographes, médecins, ingénieurs, avocats… ont été exécutés un à un. On a même tué des adolescents parce qu'ils avaient été surpris à écouter de la musique populaire.

«Le Cambodge a fait un prodigieux bond en arrière. Et quand les Vietnamiens sont venus nous libérer des Khmers rouges, nous n'avions plus rien. Il fallait tout reconstruire. Tout ce qui rappelait la culture, la technologie, la science, le progrès ou le savoir avait été anéanti.

Chan s'arrêta un court instant, puis se tourna vers la jeune Québécoise pour la fixer dans les yeux.

— Tu te rends compte ? En seulement 24 heures… oui, 24 heures, mon pays est retombé à l'âge de pierre. C'est ça, Alice, un pays qui devient fou !

Celle-ci avait du mal à se le figurer.

— Comment peut-on accepter de se soumettre à des ordres aussi insensés ? Tuer, détruire, anéantir…

— Toute la question est là ! Je me la pose souvent. Et je ne suis pas la seule. Moi, je pense que les hommes ont perdu leur humanité. Ils obéissaient aveuglément. Sous les vêtements des soldats, il n'y avait plus ce qui fait la différence. Tu sais, la compassion, le désir de préserver la vie, d'aider ceux qui en ont besoin. Le cerveau des soldats khmers rouges était programmé pour ne reconnaître que deux espèces d'humains : ceux qu'on laissait vivre et ceux qu'on exécutait.

Alice lui fit remarquer que ça ressemblait à ce qui se passait avec les combattants de l'État islamique. C'était le djihad. Quelqu'un était venu leur en parler, à l'école. Des jeunes partaient du Canada pour aller tuer des enfants, des femmes, des pères, des professeurs, des marchands, des musiciens… Ils s'improvisaient dieux. On les avait convaincus qu'ils avaient le droit de vie et de mort sur d'autres humains. On les avait amenés à penser que les bons devaient éliminer les mécréants.

— Il faut avoir subi un terrible lavage de cerveau, soupira-t-elle. On leur fait croire parfois qu'ils vont aider… Et les filles qui se rendent là-bas se retrouvent prostituées ou vendues pour être mariées.

— Le plus difficile, lui confia Chan, c'est de constater que ces gens, devenus des meurtriers, étaient auparavant des personnes ordinaires. Mon père avait sept ans quand l'horreur s'est produite. Il a vu ses parents et ses sœurs mourir des mains d'un oncle chez qui il avait mangé quelques jours plus tôt. Un homme qu'il admirait parce qu'il prenait toujours le temps de lui expliquer les choses et de jouer avec lui. Et cette personne qu'il aimait tant avait tout d'un coup perdu son humanité. Comme on perd ses lunettes ou ses clés.

Alice sentit son estomac se nouer. Ses mains devenaient moites. Tout ça lui faisait terriblement peur. Et particulièrement parce qu'elle était retenue en otage!

— Comprends-tu maintenant pourquoi mon père est étrange? Il est habité par son passé et les horreurs qu'il a vécues.

La Khmère baissa la tête et murmura d'une voix à peine audible qu'elle aussi était habitée par le passé de son père et qu'elle aimerait qu'on lui donne des ailes pour s'envoler. Chan pensait que la Canadienne n'écoutait plus parce qu'elle avait les yeux fermés. Mais Alice avait tout entendu. Elle était concentrée sur ce récit épouvantable.

Chan resta silencieuse et le voyage se poursuivit lentement.

Alice était couverte de poussière. Ses cheveux étaient si épais qu'ils se séparaient en couettes comme ceux des rastas. Ce n'était pas grave. Bientôt, elle serait sous la douche.

Pour passer le temps, elle admirait les rizières qui se découpaient dans le paysage en rectangles du vert le plus pâle au plus foncé.

Soudain, elle aperçut à peu de distance un groupe de touristes qui marchait au bord de la route. Leur véhicule se dirigeait vers eux. Enchantée, elle se leva pour les saluer. Aussitôt, l'un des hommes qui les accompagnaient se jeta sur elle et l'étendit de tout son long sur le plancher de la camionnette.

Elle resta là un moment avant qu'il la laisse se relever.

— Pourquoi avez-vous fait ça ? Je serai libérée tout à l'heure…

Un terrible doute l'envahit.

— Je serai bien libérée… n'est-ce pas ?

La camionnette avait ralenti et Alice tendait son corps comme un arc, se préparant à sauter dans un fossé. Elle n'allait pas jouer leur jeu une minute de plus.

L'homme qui l'avait assaillie pressentit ce qu'elle s'apprêtait à faire. Il l'agrippa par un bras et l'obligea à s'asseoir. Il lui parla en khmer et Chan traduisit ses propos :

— Reste tranquille ! Ta famille t'attend non loin d'ici. Je t'ai empêchée de saluer les touristes pour nous protéger. Nous ne voulons pas être identifiés comme tes ravisseurs. Comprends-tu ça?

Alice acquiesça. Elle eut presque honte de ne pas y avoir pensé toute seule.

Environ deux heures plus tard, le camion s'arrêta. Lok Thol fit descendre l'otage la première. Aussitôt que ses pieds touchèrent le sol, il l'empoigna sans ménagement et la poussa vers une hutte sur pilotis.

La jeune fille se débattait et criait des injures. Lok Thol la jeta sur ses épaules et escalada l'échelle à toute vitesse. Une fois sur la galerie, il ouvrit la porte et il la flanqua brutalement sur le plancher.

— Aïe! gémit-elle.

Elle croisa le regard de Lok Thol. Cette fois, elle n'y lut aucune compassion. Au contraire, il semblait se délecter de la voir ainsi à sa merci.

Elle sentit un froid terrible l'envahir.

Quelqu'un monta et tendit au père de Chan le sac à dos d'Alice. Lok Thol le lui lança. Rapidement, elle en vérifia le contenu: son portefeuille, sa tablette à dessin, ses crayons, sa règle et ses autres effets personnels s'y trouvaient toujours.

— Tu restes là, ordonna Lok Thol. Les négociations ne sont pas terminées. Et tiens-toi tranquille!

Le claquement d'un loquet qu'on rabat lui confirma qu'elle était de nouveau prisonnière.

Alice était anéantie. Elle ne retrouverait pas Jonathan, ni sa mère, ni son père. Elle ne prendrait pas de douche. Elle ne mangerait pas non plus à sa faim. Désemparée, elle se mit à hurler:

— Pourquoi m'as-tu menti, Chan?

N'obtenant pas de réponse, elle répéta sa question jusqu'à ce qu'elle sente la hutte bouger légèrement.

— Tais-toi! gronda la Khmère. Si tu continues, ils vont se fâcher. J'ai seulement voulu te protéger…

Il y eut un silence, puis quelques raclements de gorge. Chan se tenait toujours derrière la porte.

— Tu as fait une bêtise en dessinant une croix sur ton visage, murmura-t-elle juste assez fort pour qu'Alice l'entende. Personne ne le sait. Tu devrais comprendre que, dans ce groupe, des gens sont plus violents que mon père et ils sont capables des pires choses. Ils auraient pu perdre la tête en voyant arriver quelqu'un pour te délivrer.

Elle marqua une pause, puis continua:

— Je les ai mis en garde en leur racontant que des policiers avaient été aperçus dans les environs. Et puis, si tu avais su qu'on te déplaçait simplement dans une autre cachette, tu n'aurais pas coopéré pendant le voyage, tu aurais résisté. Ils t'auraient attachée et bâillonnée. Tu aurais pu être blessée!

— Tu es comme les Khmers rouges, rétorqua Alice, égoïste et indifférente à la souffrance des autres. Toi aussi, tu as perdu ton humanité.

Elle sentait encore la présence de la Khmère.

— Pourquoi ne m'aides-tu pas?

Sa question resta sans réponse.

Dehors, la voix de Lok Thol s'élevait. Il prononçait un discours ponctué de slogans que la foule répétait religieusement.

«Toujours les mêmes mots, et martelés jusqu'à ce qu'ils prennent toute la place dans l'esprit des gens qui l'écoutent.»

L'adolescente se mit à pleurer doucement.

Une heure plus tard, elle perçut un remue-ménage à l'extérieur. Bientôt, la porte de sa nouvelle prison s'ouvrit et des chiots s'engouffrèrent dans la pièce. Alice éclata de rire devant les trois grosses boules noires qui couraient vers elle en trébuchant sur la natte d'osier. Elle releva la tête et constata qu'un homme la filmait. Elle s'en voulut de s'être fait prendre à leur jeu. Ils voulaient sans doute mettre en scène une otage bien vivante et joyeuse.

Elle se recroquevilla contre le mur de la hutte jusqu'à ce qu'elle voie Lok Thol pénétrer dans les lieux en lui tendant une feuille.

— Lis ça!

Effrayée, Alice obéit.

11

LE MESSAGE DES RAVISSEURS

Assis confortablement derrière son bureau, Sourkea Sampham venait de visionner la vidéo tournée dans la hutte de l'otage. Il avait été heureux d'apprendre que le déplacement de la Canadienne s'était effectué sans accroc.

Autre bonne nouvelle : plusieurs touristes avaient quitté Siem Reap de peur d'être la cible d'enlèvements et les hôtels avaient déjà reçu des centaines d'annulations. Un climat de peur s'installait. La disparition d'Alice Miron commençait à avoir des répercussions sur l'économie du pays.

Cependant, il n'aimait pas les premières images de la vidéo. Elles montraient la Canadienne trop souriante. Cet imbécile de Lok Thol avait organisé une mise en scène pour provoquer le fou rire de la prisonnière. « Pour rassurer un peu les parents », avait-il prétendu.

Sourkea constatait qu'il avait un sérieux travail à faire avec Lok Thol pour que ce dernier comprenne qu'il devait exécuter cette fille, et non l'amuser.

Malgré son désir de le réprimander et même de le frapper, Sourkea restait maître de lui-même. Il était impératif qu'il soit patient. Lok Thol était indispensable. Les paysans le considéraient comme leur père avec toutes les obligations de respect et d'obéissance que cela impliquait. Il était irremplaçable.

Heureusement, l'homme devenait plus malléable. Détruit psychologiquement, il se rebâtissait en s'appuyant sur les idées que Sourkea l'entraînait à adopter sans discuter. Bientôt, espérait-il, Lok Thol serait en position de commettre le meurtre.

Sourkea souhaitait seulement que son état mental continue à se détériorer. Il lui donnait des calmants avant les réunions pour qu'il n'affiche pas ses tics et ses grimaces. Parfois, Lok Thol se mettait à débiter des idioties comme ce pauvre Sin Sovath, le fou du village. Ça, il n'y pouvait rien.

Même si la vidéo ne le satisfaisait pas complètement, Sourkea appuya sur l'icône d'envoi. Il avait sélectionné quelques journalistes pour que les images soient diffusées simultanément sur plusieurs chaînes de télévision et sur Internet. Évidemment, il utilisait une boîte courriel sous un faux nom et il empruntait toujours l'ordinateur d'un tiers.

Par la même occasion, il écrivit au reporter à qui il avait fait parvenir le précieux colis contenant un morceau ensanglanté du pantalon d'Alice Miron. Il voulait savoir où en était le test d'ADN.

Il était encore attablé devant son clavier lorsqu'il reçut la réponse : l'échantillon était contaminé. On n'avait pu en tirer la moindre information.

— Quoi ? hurla le bandit malgré lui.

Éva, Claude, Jonathan et Radzi étaient assis dans le hall de l'hôtel la Villa Apsara. Ils attendaient, les yeux fixés sur l'écran du téléviseur. Un journaliste les avait prévenus qu'on s'apprêtait à diffuser une vidéo envoyée par les ravisseurs. La nouvelle les avait soulagés.

Toute la journée, ils avaient visité église après église, ratissant les alentours de Siem Reap, interrogeant ceux qu'ils rencontraient. Radzi traduisait en khmer au fur et à mesure lorsque l'interlocuteur ne parlait ni le français ni l'anglais.

Finalement, une fillette leur avait raconté qu'un jour, lorsqu'elle revenait des rizières avec ses canards, elle avait entendu une femme crier. L'enfant les avait conduits jusqu'à une maison sur pilotis. En l'inspectant, ils avaient découvert un peu partout le prénom d'Alice écrit en toutes petites lettres. Il s'agissait donc bien de l'endroit où elle avait été gardée prisonnière !

Claude avait téléphoné immédiatement au chef de la police. L'homme n'était pas heureux de les savoir là-bas. Il leur avait ordonné de partir. Ce n'était pas à eux de s'occuper de cette affaire, arguait-il.

Le père d'Alice avait rétorqué qu'il avait le droit d'aller chercher sa fille là où elle se trouvait. Il avait insisté pour qu'ils se tiennent tranquilles et il leur avait promis que ses hommes enquêteraient dans le secteur.

Mais Éva et Claude n'attendaient aucun résultat positif de leur part. Ils avaient compris que les paysans ne faisaient confiance à personne, et surtout pas aux représentants de l'autorité.

— Ça commence, lança Jonathan fébrilement, tandis que Jean prenait place à ses côtés.

Alice apparut d'abord souriante, gaie même. Puis, il y eut un temps mort et son visage resurgit, renfrogné et triste. Elle tenait un papier qu'elle lut d'un ton monocorde :

— Je m'appelle Alice Miron. Je suis canadienne et détenue par les Forces paysannes khmères…

L'angoisse transparaissait dans sa voix.

— Les FPK promettent de me libérer après la remise de leurs terres à toutes les personnes expropriées. Je m'adresse au gouvernement du Canada et aux dirigeants du Cambodge. Je suis en danger. Ne m'oubliez pas.

Un long silence suivit la diffusion du film. Éva réprima son envie d'éclater en sanglots. Claude, un poing fixé sur les lèvres, avalait sa salive avec difficulté. Tous les cinq étaient terrassés.

C'était la troisième journée qu'Alice passait aux mains de ses ravisseurs. Au moins, ils avaient la confirmation qu'elle était toujours vivante.

Tout en essuyant ses yeux, Claude s'adressa à Jean :

— Et qu'en pense le porte-parole de l'ambassade ?

L'oncle de Jonathan venait de s'entretenir avec un représentant de l'ambassade d'Australie à Phnom Penh. Comme le Canada n'avait pas de représentation officielle au Cambodge, les Canadiens pouvaient obtenir une aide auprès de celle de l'Australie, en vertu d'un accord entre les services consulaires.

— Il n'a pas été très précis, vu qu'il s'agit d'un problème de politique intérieure. Par contre, il me fera parvenir par courriel plusieurs articles de presse pour qu'on se fasse une idée de ce qui se trame ici. Il semblerait que les dirigeants du Cambodge n'aient pas l'intention de s'asseoir à la même table que les kidnappeurs.

Claude toussota. Sa femme et lui comprenaient que cette situation ne se réglerait pas par la négociation. Le problème était gigantesque. S'il s'était agi du paiement d'une rançon, ils auraient pu rassembler l'argent. Mais ce n'était pas le cas.

Éva revoyait les yeux tristes de sa fille et la peur qui s'exprimait dans ses gestes. Il y aurait d'autres vidéos, d'autres photos, songeait-elle. Ses geôliers auraient besoin de la montrer bien vivante s'ils voulaient qu'on les écoute. Est-ce qu'Alice penserait à leur donner des indices? Celui de la croix était bien vu. Il aurait permis de la retrouver si elle n'avait pas été déplacée avant leur arrivée dans le village.

Pour le moment, les parents d'Alice visionnaient de nouveau la vidéo. Compte tenu de la surprise qu'Éva avait saisie sur le visage de sa fille, elle n'envisageait pas la possibilité de découvrir des indices. L'adolescente n'avait vraisemblablement pas eu le temps de se préparer.

Éva fit part de ses impressions aux autres :

— Je pense que le film a été tourné quelques heures seulement après son arrivée dans la nouvelle hutte. Car, elle est si couverte de poussière que la couleur de ses cheveux vire presque au blanc. Elle semble fatiguée, au bord de l'épuisement et, surtout, déçue. On lui a peut-être fait miroiter autre chose qu'un simple déménagement.

La mère d'Alice soupira. Ils devaient désormais se consacrer à élaborer un plan d'action.

— On s'installe à quel endroit pour commencer à travailler ? s'enquit Claude.

Jonathan leur suggéra de manger d'abord quelque chose :

— Si nous voulons retrouver Alice, il faut être forts, aussi forts qu'elle !

— Il a raison, acquiesça le père de la jeune fille en se levant, suivi de Radzi, d'Éva et de Jean. Je sors de l'hôtel pour acheter quelques bouteilles d'eau et je vous rejoins au restaurant.

Dans la rue, Claude eut la surprise d'être aussitôt entouré par un groupe de policiers.

— Nous vous accompagnons, monsieur Miron. Nous avons l'ordre d'assurer votre sécurité.

— Je n'ai pas besoin de vos services, se défendit-il en s'éloignant.

Malgré tout, les trois hommes le talonnèrent.

«Il semble que notre visite dans la campagne cambodgienne n'a pas été appréciée...», constata-t-il.

De retour à l'hôtel, il téléphona à l'ambassade pour leur faire part des tentatives d'intimidation dont il avait été victime et, à sa grande surprise, il apprit que les Australiens avaient reçu une plainte les concernant.

— On affirme que vous vous immiscez dans les affaires internes du Cambodge, lui précisa le conseiller.

Claude raccrocha, furieux, et s'empressa de rejoindre les autres pour les mettre au courant de la situation. Ils n'allaient pas se laisser faire si facilement!

12

LA SEULE SOLUTION

Alice n'était pas aussi courageuse qu'elle l'aurait souhaité. Elle se reprochait de s'être fait piéger la veille, lorsqu'ils avaient tourné la vidéo. Épuisée par le long voyage en camionnette et les événements qui avaient suivi, elle était loin de se douter de ce qui l'attendait. Elle devait maintenant lutter de toutes ses forces contre une envie folle de rester étendue sur le sol, et espérer seulement qu'on lui apporterait à boire, à manger et le seau. De toute façon, c'était à ça que se résumerait sa vie pour les semaines, voire les mois à venir, si elle ne tentait pas quelque chose.

Ces paysans ne semblaient pas comprendre qu'ils n'obtiendraient rien en basculant dans la barbarie. Elle ne s'était jamais rendu compte à quel point il était facile de manipuler les gens pour les rendre violents.

Il n'existait qu'une solution: fuir, aussi loin qu'elle le pourrait. Et ça ne semblait pas très compliqué.

Lorsqu'ils avaient tourné le film la veille, les Khmers allaient et venaient librement. Alice avait noté qu'il n'y avait pas de cadenas à la porte, seulement un loquet que l'on faisait pivoter pour le bloquer ou le débloquer.

Sans plus de réflexion, elle passa à l'action. Elle perça des trous dans les quatre murs afin d'être en mesure d'observer les visiteurs, les paysans, ou la personne qu'ils avaient peut-être affectée à la surveillance de la hutte. Une fois ce travail terminé, elle prit sa règle dans son sac à dos et la glissa dans la fente de la porte. Le loquet s'avéra facile à soulever.

L'adolescente avança prudemment la tête à l'extérieur. Elle vit seulement quelques hommes au loin. À toute vitesse, elle descendit l'échelle et courut droit devant elle, en suivant un sentier qui s'enfonçait dans la rizière. Quand elle fut assez éloignée, elle décida de quitter la piste et de traverser un champ à l'abandon.

Elle avait fait à peine quelques pas qu'elle entendit crier derrière elle :

— Alice Miron! Arrête-toi immédiatement!

Surprise, elle se retourna et aperçut Sin à une trentaine de mètres d'elle. Pour la rassurer, il lui montrait les paumes de ses deux mains.

— Je ne te veux pas de mal, assura-t-il. Ne bouge plus, tu es en danger.

Sa voix était calme et il parlait normalement.

Comme il ne semblait pas avoir l'intention de venir vers elle, Alice l'écouta.

— Ce terrain est miné, articula-t-il, syllabe par syllabe.

« Le terrain est miné... Il est encore plus fou que je le croyais », pensa-t-elle en secouant la tête.

— Nous sommes près de la frontière thaïlandaise, lui apprit-il. Des milliers de mines, toujours prêtes à exploser, sont enterrées ici.

Alice examina les alentours. Quelle direction devait-elle suivre pour parvenir à un poste frontalier ? Sin venait de lui fournir un renseignement crucial sur l'emplacement du village.

— Surtout, ne fais rien. Je te le prouve, s'écria-t-il.

Il avait deviné son intention de poursuivre sa route.

— Reste où tu es ! Je vais me pencher et ramasser quelques pierres. Après, je les lancerai très loin, à ta gauche, jusqu'à ce que l'une d'elles touche une mine. Ça peut être rapide, ça peut aussi prendre un peu de temps. Mais je sais que cet endroit est truffé d'engins explosifs. Lorsque je t'avertirai, accroupis-toi pour ne pas recevoir de débris.

Elle l'observa ramasser les plus gros cailloux.

«Et s'il avait raison? Si le terrain était miné...»

Un souvenir confus lui revint en mémoire: un bout de phrase dans le guide de voyage. Un avertissement. Il valait mieux attendre. Elle n'avait pas envie de se retrouver en petits morceaux. Et elle estima qu'elle pouvait toujours faire un sprint pour le distancer.

Sin se redressa et lui signala qu'il commençait. Il se mit à jeter les pierres le plus loin possible.

Accroupie, comme le Khmer le lui avait recommandé, Alice le surveillait du coin de l'œil. C'était manifestement un bon lanceur.

Au huitième envoi, une mine explosa. Presque aussitôt, ils entendirent les cris de paysans qui s'approchaient.

— Ne fais pas un geste. Ils ne t'apercevront pas, promit Sin.

Il alla à la rencontre des hommes et des femmes qui accouraient, inquiets. Chacun avait peur qu'un de ses enfants ne soit la victime de la mine antipersonnel.

— C'était un chien, les rassura-t-il. Vous pouvez retourner travailler.

Il attendit qu'ils soient hors de vue.

— Maintenant, reviens sur le sentier en posant tes pieds dans les traces laissées par tes pas. Prends ton temps.

Le cœur battant, Alice avança en scrutant le sol. L'empreinte était subtile, à peine perceptible. Elle peinait à garder l'équilibre, comme si tout son corps conservait la marque du souffle de l'explosion. Devant elle, Sin lui tendait la main en souriant.

Lorsqu'elle fut enfin en lieu sûr, elle tremblait de tout son être.

Le jeune homme lui expliqua rapidement qu'après la guerre, on n'avait jamais réussi à enlever toutes les mines antipersonnel enfouies par les Khmers rouges. Plusieurs croyaient qu'il y avait encore entre six et sept millions de ces engins dans le sol cambodgien. Ils pouvaient éclater sous une simple pression du pied ou des mains. Il leur faudrait patienter de nombreuses années avant que les opérations de déminage ne soient achevées.

— Tu as sans doute remarqué que de nombreuses personnes sont unijambistes, ou qu'il leur manque un bras, ou une main.

Alice secoua la tête. Oui, elle l'avait observé. Maintenant, elle comprenait.

— Et comment reconnaît-on ces mines ?

— Il y en a plusieurs sortes. Autour d'ici, ce sont des modèles américains. Elles ressemblent vaguement à une assiette avec une espèce d'anneau au milieu.

— Pourquoi débites-tu toujours des stupidités ?

Elle n'avait pu s'empêcher de poser la question.

Sin éluda le sujet et l'avertit qu'il fallait partir. Il devait la ramener. Voyant la détermination de la jeune Canadienne de se sauver, il la prit par le bras. Elle n'avait pas d'autre choix que de retourner à la hutte. Aucune voie n'était sûre. Soit elle risquait de rencontrer des membres des Forces paysannes khmères, soit elle traverserait les zones inhabitées et non cultivées, s'exposant à sauter sur une mine.

— Je vais marcher le long de la route empruntée par la camionnette qui nous a conduits ici, tenta-t-elle en se laissant mener malgré tout par Sin.

— Quelqu'un te verra et te ramènera.

— Pas si je me cache dans les buissons…

— Tu ne réussiras pas. Partout, les gens connaissent ton visage et espèrent s'en sortir grâce à ton enlèvement. Crois-moi. Nous trouverons une autre solution.

Ils revinrent rapidement à la hutte. Heureusement, les hommes et les femmes travaillaient dans les champs. Personne n'avait remarqué son évasion.

Alice se laissa tomber sur la natte d'osier. Épuisée, elle ferma les yeux et s'endormit.

Quelques heures plus tard, elle fut réveillée par la voix de Lok Thol. Il menait une autre de ses réunions politiques. La jeune fille avait l'impression qu'il crachait ses phrases. La foule les répétait comme s'il s'agissait de formules magiques. « Un prêt-à-penser qu'on enfile comme un vêtement », se dit-elle.

Elle comprenait désormais ce que signifiait l'endoctrinement et comment on transformait des êtres humains en machines à tuer.

13

RÉCONCILIATION

Alice devenait folle. La veille, elle avait raté sa fuite. Depuis, elle avait eu droit à trois promesses de libération. Elle n'y croyait plus. Ces heures de détention lui faisaient perdre la tête. Elle attendait dans le silence étouffant. Parfois, la peur s'installait en elle et ne la lâchait plus.

Elle s'étendit sur le dos, observa le plafond de sa nouvelle hutte. Elle ressemblait en tout point à la première : une seule pièce, pas d'eau courante, et une ampoule qui se balançait au bout d'un fil.

La jeune captive leva les bras, les glissant sur le plancher tout en écartant simultanément les jambes. Elle répéta le mouvement sans s'arrêter. Elle ferma les yeux. Elle imprimait des anges sur la neige avec ses amies Gabrielle et Solenn. Elles s'interrogeaient sur ce qu'elles porteraient le lendemain pour leur sortie. Elles iraient au théâtre avec la classe.

Dehors, le bruit des bœufs qui ruminaient accompagnait sa rêverie. Alice donna un coup d'aile en tapotant le plancher. Les lézards se mirent à courir sur le toit en produisant des crépitements. L'odeur de paille restait dans son nez. Elle dut le frotter pour la faire partir.

Les bruits étaient une musique et les odeurs, des tableaux dont elle saisissait le sens. Ils étaient avec elle. Ils l'accompagnaient dans sa misère. De drôles de compagnons…

Elle s'assit. Que faire maintenant ? Chaque muscle de son corps lui commandait de se lever, d'ouvrir la porte et de prendre ses jambes à son cou pour se soustraire à cette chaleur étouffante. Mais à quel prix ?

Elle avait failli se jeter d'une camionnette en marche. Elle aurait probablement hérité de plusieurs fractures. Ensuite, elle avait manqué d'exploser sur une mine…

Ses ravisseurs reviendraient la filmer ou la photographier. Quels indices laisserait-elle ?

Elle traça deux lignes sur le mur de son nouveau cachot et en ajouta trois. Cinq jours maintenant. Elle buvait et mangeait à peine. Son estomac ne gardait rien. Elle sentait ses forces s'envoler. Elle était plus coincée qu'avant. Et ses règles allaient commencer…

Pour se changer les idées, elle sortit de son sac son cahier à dessin et l'examina. Les aquarelles lui rappelaient Jonathan.

Elle se remémora le son de sa voix, puissante et douce à la fois. En particulier quand il chantait *Nessun dorma*, l'extrait de l'opéra *Turandot* de Puccini qu'il avait répété pour son oncle Jean. Elle dessina sur le plancher les cinq lignes horizontales d'une portée ainsi que la clé de sol. Après quoi, elle y plaça les notes : ré, mi, fa, mi, ré, mi, do, si. C'était le début d'une phrase musicale de *Nessun dorma* qu'elle adorait. Les paroles en italien étaient : *Ma il mio mistero*, « Mais mon mystère… »

Ses pensées furent interrompues par la voix de Chan. Alice se leva et colla l'oreille contre la paroi de bambou. C'était bien la Khmère qui se disputait avec son père. Ils parlaient en français. Elle ne lui avait pas menti : c'était la langue qu'ils employaient entre eux.

— Pourquoi est-ce toujours moi qui m'occupe de la Canadienne ? s'insurgeait l'adolescente.

— Elle t'a réclamée, expliqua Lok Thol. Des problèmes de femme, je suppose.

Alice imagina les grimaces qu'il venait de faire.

Quelques minutes plus tard, Chan entra dans la hutte, tout en évitant de croiser son regard.

La Québécoise prit les devants:

— *Souô sadaï!* Je suis désolée. Je n'aurais pas dû te pousser à bout. C'est normal que tu sois fidèle à ton père. La famille doit passer avant tout.

Elle n'en était pas vraiment convaincue, mais il fallait qu'elle sauve sa peau.

La Khmère lui tendit trois guenilles dégoûtantes.

— Qu'est-ce que c'est? demanda la prisonnière.

— Tu mets ça dans ta culotte. Je te donnerai un seau d'eau pour les laver. Je les ferai sécher sur la galerie.

Alice était estomaquée. Il n'était pas question qu'elle utilise ces torchons. La seule perspective d'y toucher la répugnait.

— Tu n'as pas plutôt des serviettes en papier?

— Tu veux dire: celles qu'on jette après usage? J'en ai vu en ville, à la pharmacie.

— Oui, tu devrais te servir de ça. C'est très pratique et c'est aseptisé!

Chan laissa échapper un long soupir.

— Penses-tu que j'ai de l'argent pour me procurer des objets de luxe comme des serviettes hygiéniques? Dans quel monde vis-tu pour ne pas comprendre celui des autres?

Elle secoua la tête de dépit.

— Je voudrais bien m'acheter de nouveaux vêtements, des jolies pinces à cheveux, des souliers convenables, du savon, de la crème pour le visage, du dentifrice, des crayons, un stylo, des livres... Il ne me manque que deux ans d'école avant l'université. Tu ne crois pas que j'aimerais étudier, moi aussi ? Je n'en ai pas les moyens. Et c'est injuste !

Une nouvelle fois, l'étrangère s'excusa. Elle prit les morceaux de tissu et les rangea dans son sac.

— Qu'as-tu vu du Cambodge, Alice ? La cité d'Angkor qui représente un monde qui n'existe plus ? Les belles danseuses qui évoluent sur les scènes destinées aux touristes ? La réalité de mon pays est invisible. C'est un fardeau que chacun transporte.

Elle s'accroupit sur la natte pour mieux observer un dessin dans le cahier de son otage. Il était resté ouvert à la page du visage de pierre.

— Je peux voir les autres ?

Alice fit signe que oui et s'assit à ses côtés sur le tapis d'osier.

Chan admira une à une chacune des œuvres.

— Tellement parfait ! Peux-tu faire mon portrait ?

— Bien sûr!

La Québécoise se sentit mieux. Elle reprenait lentement contact avec sa geôlière. De nouveau, elle avait quelqu'un à qui parler.

Tandis que Chan gardait la pose, Alice travaillait minutieusement. Elle tenait à ce que le dessin évoque la beauté des traits de la Cambodgienne et qu'il révèle ce qu'elle ressentait dans son cœur, dans son esprit. Il devait rendre la gravité de son regard et les souvenirs qui imprégnaient sa mémoire. Ainsi que ses peurs, ses rêves, ses désirs. Tout ça était inscrit sur son visage.

Dehors, la voix de Lok Thol s'élevait et ses nouveaux fidèles scandaient ses slogans.

Plusieurs fois, sa fille avait été sur le point de se confier. Mais elle s'était tue. Finalement, elle parla et lui apprit que son père avait donné à ses officiers l'ordre de se débarrasser de tous ceux qui rejetaient son idéologie et qui refusaient de suivre la voie qu'il proposait.

— *Débarrasser…* Ça signifie…

Alice n'osait pas prononcer le mot.

— Oh non! Ce n'est pas ce que tu penses. Il souhaite qu'ils quittent le groupe, pour éviter que l'on conteste ses décisions.

Elle lui expliqua que Lok Thol avait instauré un système hiérarchique, un peu comme dans une armée. Ceux qui ne lui obéissaient pas devaient être punis.

Chan pensait que les gens aimaient se faire diriger. On leur indiquait quoi faire, quand manger, comment s'habiller, où aller, quoi penser. Et ils étaient satisfaits, rassurés.

— Ça semble plus facile pour les hommes qui ont perdu leurs terres de vivre ainsi, en groupe, sous un commandement. Comme si leur liberté était trop lourde à porter. Ils sont maintenant responsables de nouvelles décisions. En écoutant un leader et en se pliant à ses caprices, ils allègent leur fardeau. Quelqu'un décide à leur place. La charge de leurs obligations devient plus légère. Même si les valeurs de violence que certains prônent ne sont pas les leurs, ils les adoptent parce que les autres le font. C'est un troupeau qu'on peut conduire dans une rizière ou à l'abattoir.

Alice appliqua les derniers coups de pinceau.

— Voilà, j'ai terminé !

Elle lui montra l'aquarelle.

— Tu aimerais l'avoir ? lui proposa-t-elle.

Chan exultait. Ses yeux étaient devenus minuscules tellement elle souriait.

Elle fit face à Alice.

— Je n'ai pas voulu ce qui t'est arrivé.

— Je sais. Tu n'y es pour rien. Et je sais aussi que tu es coincée dans ta vie, comme moi, mais juste d'une autre façon.

Elle comprenait que la Khmère n'avait aucune perspective d'avenir. Que tous ses projets et ses rêves étaient anéantis par la folie de son père.

Elles s'enlacèrent un moment, réconciliées.

Ensuite, Alice déchira délicatement la page de son cahier et la tendit à sa nouvelle amie.

— Demain, j'irai en ville, annonça Chan. Si tu veux me donner un peu d'argent, j'achèterai des serviettes hygiéniques et ce qu'il faut pour soigner ta blessure.

— Je n'ai plus besoin de couvrir ma plaie; par contre, je voudrais bien du papier de toilette.

— Pas de problème! Je peux aussi te procurer une baguette et du fromage, si tu le désires.

C'était comme si elle annonçait à Alice qu'elle avait gagné à la loterie.

La Khmère s'apprêtait à quitter la hutte lorsqu'elle vit les notes sur le plancher. Alice lui expliqua ce que c'était et elle fredonna l'air. Chan montra ensuite du doigt les cinq barres que la Canadienne avait gravées.

— *Mouy, pi, bey, buon, pram.*

— Que dis-tu ? s'enquit Alice.

— Ce sont les chiffres de un à cinq. C'est très facile, le khmer. Après, tu répètes le cinq et tu ajoutes un pour faire le six, et ainsi de suite. Ça donne, pour six, sept, huit, neuf, dix : *pram mouy, pram pi, pram bey, pram buon, pram pram.*

Dehors, une drôle de mélodie s'éleva. Alice colla son œil sur le trou.

— C'est la vieille dame d'en face. Je pense qu'elle a un violon.

— Son nom est Akara. C'est la mère d'Ary Ol. Ils habitent là. C'est lui qui a proposé de venir ici. Il savait que cette hutte était vide.

— Akara. C'est un joli nom.

— Il signifie : la femme de feu. Et elle joue sur son instrument à deux cordes de la musique traditionnelle cambodgienne.

Chan se mit à danser.

— À l'école, on apprenait la danse classique khmère. Je te fais une démonstration.

Accompagnée par Akara, la jeune Khmère faisait onduler son corps, le visage impassible. Seuls ses mains et ses pieds décrivaient des mouvements. Ça ressemblait à un mélange de mime et de théâtre muet. Les poses s'enchaînaient lentement, comme si elles avaient valeur de mots ou de phrases, et semblaient exprimer un sentiment.

— Je suis une danseuse apsara, chantonnait-elle en riant.

Quand elle s'arrêta, Alice applaudit et lui raconta qu'elle avait vu des bas-reliefs représentant des apsaras à Angkor.

— C'étaient des déesses d'une grande beauté, affirma Chan en ouvrant la porte de la hutte.

Alice ramassa son cahier pour le remettre dans son sac à dos. Subitement, elle interrompit son geste. Un plan venait de s'imposer à son esprit. Avant que Chan ne se soit trop éloignée, elle lui cria :

— Reviens ! J'ai une idée géniale ! Quand tu seras à Siem Reap demain, tu pourrais vendre mes peintures pour gagner un peu d'argent.

La Cambodgienne accepta l'offre sur-le-champ.

— Seulement, tu devras prétendre que c'est toi qui as fait les dessins et les aquarelles. Sinon, on pourrait avoir des problèmes.

Chan était folle de joie. Elle promit d'arriver encore plus tôt le lendemain.

Lorsqu'elle partit, Alice s'étira dans tous les sens et fit autant de pompes et d'abdominaux qu'elle le put. Il n'était pas question qu'elle se laisse aller. Elle avait toujours eu confiance en l'avenir. Et ce n'était pas aujourd'hui que ça allait changer!

Elle tenta d'analyser sa situation en adoptant le point de vue le plus positif: «Sin est de mon côté et il fera tout pour me protéger. J'ai vraiment trouvé une amie. Son amitié m'aidera à tenir le coup. J'ai une chance inespérée de faire passer un message! Et... je sais comment ouvrir la porte de ma prison.»

Elle sortit son matériel d'artiste et se mit au travail.

14

LE PLAN

Comme promis, Chan arriva tôt le lendemain. Alice l'accueillit par un joyeux «*souô
sadaï*» tandis qu'elle achevait de tracer une
sixième barre sur le mur.

La jeune Khmère était ravie à l'idée de
gagner un peu d'argent. Elle en avait bien
besoin! Elle roula les dessins qui l'attendaient sur la natte et les glissa dans un large
tube de bambou. Une corde était attachée à
ses extrémités pour lui permettre de le porter
en bandoulière. De plus petits tubes dépas-
saient de son sac. Ils serviraient à protéger
les œuvres vendues aux touristes.

— Est-ce que je peux emprunter ton
pantalon beige? Hier soir, j'ai rencontré Sin
et Ary chez Akara. Je leur ai dit que je me
rendrais en ville aujourd'hui et Ary m'a
proposé de me prendre en moto et de me
déposer à l'arrêt de bus. Je vais épargner au
moins une demi-heure. Mais ce serait plus
confortable de porter un pantalon. Je ne
suis pas à l'aise, assise en amazone sur une
moto.

Alice comprenait parfaitement. En sarong, impossible d'enfourcher une motocyclette!

— Tu peux le prendre quand tu veux. Tu peux même le garder.

Ravie, Chan se rendit chez elle pour se changer tandis qu'Alice s'armait de patience. Elle avait faim et soif, et elle était toujours aussi sale. Mais, au moins, elle avait repris espoir. Le front appuyé au mur et l'œil collé à l'une des ouvertures, elle attendait le retour de son amie. Elle était persévérante. Une vertu nouvelle chez elle.

Tout en maintenant son attention sur ce qui se passait à l'extérieur, elle repensa à Sin. Il l'avait fait rire la veille en lui lançant:

— Tête de jument édentée! Entonnoir à bêtises! Buffet de cuisine! Cerveau d'ascenseur!

Elle avait rétorqué du tac au tac:

— Compteur de crottes de souris! Général des singes! Fou gentil!

À la place de la soupe, il avait mis des fruits coupés en morceaux dans un bol: des mangues, des bananes, des ananas et des papayes. Il lui avait aussi offert un sachet d'arachides qu'elle avait dévorées. Et, en partant, il lui avait fait un signe de la main en souriant. Ce garçon devenait vraiment attachant.

Alice aperçut Chan avec son pantalon. Ainsi vêtue, elle semblait différente. Elle redressait les épaules et levait le menton.

— Je suis prête, Ary, avertit-elle distinctement.

Elle grimpa derrière le jeune homme. La moto s'éloigna dans un bruit d'enfer. Alice eut un pincement au cœur. Quand pourrait-elle sortir de nouveau ?

Elle était toujours à son poste quand elle distingua Lok Thol. Il marchait en compagnie de l'individu aux cheveux coupés en brosse. Ce dernier lui chuchotait des choses à l'oreille, tandis qu'il acquiesçait d'un signe de la tête.

Quand l'homme disparut, Lok Thol commença l'une de ses réunions. Il les tenait encore à proximité de la hutte et Alice l'entendait scander des phrases que l'assistance répétait en chœur.

Elle avait l'impression qu'il tendait peu à peu un ressort avant de le relâcher. Quelque chose allait se produire. Chan avait confirmé ses appréhensions quand elle lui avait annoncé qu'un jour, la violence exploserait comme une bombe.

Alice avait peur que Lok Thol ne la prenne pour cible et qu'il convainque les Khmers qu'elle était l'ennemie.

Elle se souvenait de ce que lui avait expliqué Chan. Comme tout le monde, les Khmers rouges jouaient avec leurs enfants, chantaient des chansons en endormant le petit dernier... Seulement, leur travail était de tuer. Alors, ils avaient laissé s'installer en eux un grand froid qui les avait rendus insensibles à la douleur des autres. Ils avaient obéi sans poser de questions. Ils s'étaient rangés du côté de leur chef, comme les paysans se rangeaient désormais du côté de Lok Thol : du côté de « celui qui sait ». Celui qui ne se trompe pas lorsqu'il départage les hommes entre ceux qui ont tort et ceux qui ont raison. Et après, Lok Thol aussi pourrait pousser ses petits soldats à commettre des assassinats, craignait-elle.

Assise par terre, l'adolescente broyait du noir en se balançant, les deux bras enlaçant ses genoux. De temps en temps, une larme coulait sur ses joues. Elle imagina un instant ses vieilles tantes Thérèse et Rose-Hélène qui, la voyant ainsi, lui demanderaient immanquablement :

— Alice, es-tu prise dans une clôture ?

Comme ces animaux de ferme qu'il fallait parfois libérer quand ils restaient coincés dans une barrière. Cette pensée la fit sourire et la consola un peu.

On s'approcha de la porte. C'était Sin qui lui apportait le seau.

En levant les yeux vers lui, elle sut qu'il avait perçu sa tristesse. Il continua néanmoins à jouer son rôle de simple d'esprit et débita d'un trait :

— Tête de chameau avec bigoudis ! Collectionneuse de pets d'ours ! Sauterelle coquette ! Dragon mouillé hors service !

Alice sourit et lui fit un clin d'œil.

Ils faisaient route depuis un moment lorsque Ary immobilisa sa moto à une station-service. Au départ, il avait projeté de laisser Chan à un arrêt d'autobus situé à quelques kilomètres du village, mais entre-temps, il avait dû changer ses plans. Sourkea lui avait ordonné de conduire la fille de Lok Thol jusqu'à Siem Reap. Il devait la surveiller et s'assurer qu'elle ne contacte aucun étranger. Sourkea la soupçonnait de vouloir aider la Canadienne.

Lok Thol n'était même pas au courant que sa fille était partie pour gagner un peu d'argent. Il ne s'apercevait probablement pas non plus que l'otage et elle devenaient amies. Pourtant, on les entendait converser et rire en s'approchant de la hutte. Ary pensait que, finalement, Sourkea Sampham était plus utile que leur chef. Il veillait à la sécurité des paysans, alors que Lok Thol se perdait dans ses beaux discours.

Après avoir fait le plein, le motard déclara qu'il aimerait jeter un coup d'œil aux œuvres d'art de Chan. La veille, elle leur avait appris qu'elle comptait proposer ses aquarelles et ses dessins aux touristes. Ary avait été surpris. Lorsqu'il s'était retrouvé seul avec Sin, il lui avait mentionné qu'il ignorait qu'elle était une artiste. En réponse, Sin avait bafouillé quelques mots sur ses talents de peintre.

Ary inspecta chaque peinture pour s'assurer qu'aucun message n'y figurait, puis il félicita Chan.

Quelques minutes plus tard, il la déposait à Siem Reap en lui indiquant qu'il passerait la chercher en fin d'après-midi.

Ary ne pouvait pas continuer à surveiller la fille du chef, sinon elle aurait la puce à l'oreille. Sourkea avait prévu un remplaçant. Son nom était Bora. Il venait d'un village éloigné. Chan ne le connaissait pas. Il la suivrait sans qu'elle s'en rende compte.

Par mesure de sécurité, Chan avait indiqué à Ary l'adresse du vieux marché (l'*Old Market*) de Siem Reap, même si elle se rendait à l'hôtel où logeaient les parents d'Alice, situé de l'autre côté de la rivière. Chan en avait noté l'adresse en regardant un reportage télévisé sur l'enlèvement de la Québécoise.

Elle voulait leur vendre la peinture sur laquelle sa nouvelle amie avait caché des indices concernant son lieu de détention. Alice n'était pas au courant que Chan avait saisi ses véritables intentions. Mais peut-être l'avait-elle deviné... Quoi qu'il en soit, il valait mieux ne pas parler de ces choses-là. Chan agirait toujours comme si elle ignorait tout. Ainsi, elle ne serait jamais accusée de trahison par les paysans.

Des ouï-dire couraient au village que, tôt ou tard, l'otage serait exécutée. C'était la raison pour laquelle Chan avait accepté immédiatement l'offre d'Alice de vendre ses peintures à Siem Reap. Pour la Khmère, il était évident que la jeune prisonnière cacherait un message dans l'une d'elles. Elle n'allait pas passer à côté de cette occasion.

Si au moins elle avait pu discuter de cette rumeur d'assassinat avec son père... Mais c'était hors de question. Il était complètement déconnecté de la réalité. Son état empirait.

Il agissait normalement à peine quelques heures par jour, quand il rencontrait les FPK. Chan espérait surtout qu'un de ses amis l'aiderait à retrouver la raison pour mettre fin à cette folie d'enlèvement et l'inciterait à aller voir un médecin pour se faire soigner.

Elle observait Ary qui répondait à un appel sur son cellulaire, assis sur sa moto, un pied sur le sol pour rester en équilibre. Il lui avait fait gagner beaucoup de temps en l'amenant à Siem Reap. Elle était contente, mais quelque chose ne tournait pas rond. Pourquoi exactement était-il venu en ville ? Et pourquoi avait-il examiné chaque illustration minutieusement et avec autant d'intérêt ?

La moto d'Ary s'éloigna du marché. La jeune fille décida d'attendre un peu avant de se rendre à la Villa Apsara. Elle devait s'assurer d'être seule.

En marchant à travers les petits étals, Chan s'étonna de voir la foule d'étrangers qui s'y pressaient toujours, malgré les nombreuses annulations dans les hôtels en raison du climat de peur engendré par l'enlèvement de la touriste.

Siem Reap était une ville populaire. Elle accueillait des gens venus de partout dans le monde pour découvrir la magnifique cité d'Angkor.

Chan se rappelait la dernière fois qu'elle avait visité le site archéologique. C'était avec sa classe, dans le cadre d'un cours d'histoire. Ce souvenir l'attrista. Elle continuait à rêver qu'un jour, elle irait à l'université, même si c'était peu probable. Son père ne lui donnait pas de quoi se payer un crayon et, de toute façon, il l'occupait sans cesse. Et lui ne faisait que de la politique.

Depuis qu'il martelait que seule la violence leur permettrait d'arriver à leurs fins, Chan n'avait plus confiance en lui. Mais que pouvait-elle faire? Elle n'avait personne d'autre. Et elle voulait le soutenir.

Il avait perdu pied enfant lorsqu'il avait vu sa famille exterminée par les Khmers rouges. Après, pendant l'enfance de Chan, son comportement avait été normal. Puis, son épouse était morte. L'expulsion de la terre et la perte de leur maison avaient suivi... Ces dernières blessures l'avaient achevé.

La jeune Khmère s'interrogeait. Pourquoi les adultes qui écoutaient Lok Thol avec tant de passion ne se rendaient-ils pas compte qu'il débitait des sottises? Avait-il autant de magnétisme? Comme tous les tyrans ou les dictateurs qui avaient supprimé des millions de personnes... Un professeur leur avait appris que d'autres pays avaient vécu un génocide.

Chan regrettait que son père dépense autant d'énergie à gâcher sa vie, et la sienne.

Elle contemplait les étrangers qui s'entassaient devant les étalages de souvenirs du marché. Maintenant seulement, elle comprenait la portée des actions des FPK. En kidnappant une Canadienne sur le site d'Angkor, ils mettaient en péril la principale industrie de la région. Car, si les visiteurs cessaient de venir de peur d'être enlevés, la ville de Siem Reap et toute sa province en subiraient les conséquences.

Tous ceux qui vivaient du tourisme en seraient affectés : les restaurants, leurs fournisseurs, les hôtels, les magasins de souvenirs, les artisans, les chauffeurs de tuk-tuk, les guides, les préposés à l'entretien, les vendeurs… Toute une organisation sociale se trouverait en péril. Son père avait-il pleinement conscience de ce qu'il faisait ? Si la perte des terres était une catastrophe, la perte d'une industrie le serait aussi. Elle affecterait des milliers d'emplois.

Ces gens méritaient-ils de payer pour ceux qui volaient les terres des paysans ? Elle en doutait. Pas plus que son amie ne méritait d'être enfermée.

Il s'était écoulé une quarantaine de minutes depuis son arrivée à Siem Reap lorsqu'elle remarqua pour la troisième fois le même individu qui l'observait à la dérobée. Chan traversa le marché et en sortit de l'autre côté. Là, elle s'arrêta nonchalamment pour examiner un étalage de chaussures. Du coin de l'œil, elle vit l'homme à demi caché derrière une pile de vêtements. Il n'y avait aucun doute. Ses soupçons s'avéraient fondés.

Elle déambula le reste de la journée en offrant sa marchandise aux touristes. Elle réussit à vendre plusieurs peintures. Elle continua jusqu'à ce qu'elle rejoigne Ary tout en se félicitant d'avoir gardé son calme. Elle savait maintenant que les deux hommes qui l'épiaient rendraient un rapport favorable sur ses activités. Elle espérait poursuivre sa mission en paix, dès le lendemain.

15

AU RETOUR DE SIEM REAP

Chan revint à la hutte en fin d'après-midi. Son arrivée permit de nouveau à la lumière du jour d'entrer. Alice bondit sur ses pieds. Comme le filet de clarté disparaissait, elle serra sa tête entre ses deux mains tout en tournant sur elle-même comme un animal en cage. Quand serait-elle libre? Elle avait l'impression que les murs se refermaient sur elle et que toute la pièce rapetissait de jour en jour.

Elle finit par s'apaiser et fixa son amie, occupée à se débarrasser de son tube de bambou et de son sac. Elle se consola un peu en s'avisant de sa joie.

— Je t'ai acheté des choses et c'est Ary qui m'a ramenée en moto, raconta Chan, enjouée. J'ai gagné 57 600 riels en vendant tes œuvres. Tu te rends compte: c'est plus d'argent que le salaire d'un ouvrier cambodgien pour deux semaines de travail!

— Ça fait à peu près 18 dollars. Je ne peux pas croire que des gens sont payés si peu! s'exclama Alice en attrapant les dessins que lui tendait sa complice.

La jeune fille s'assit sur la natte d'osier et déposa ses illustrations devant elle pour vérifier lesquelles avaient été vendues. Elle fut déçue de constater que celle qu'elle avait peinte spécialement pour l'occasion figurait toujours dans la pile.

— Est-ce que tu as un copain? lui demanda la Khmère en prenant place à ses côtés.

— Oui, et il s'appelle Jonathan. Il est ici, au Cambodge.

Alice repoussa les dessins et saisit son sac. Tandis qu'elle fouillait à l'intérieur pour sortir une photo de son amoureux, elle l'interrogea à son tour:

— Et toi, as-tu aussi un petit ami?

— Euh... Je ne peux pas t'en parler. Pas encore. C'est compliqué! éluda-t-elle en scrutant le cliché.

Elle posa le doigt sur les deux personnes plus âgées qui entouraient Jonathan.

— Ce sont mes parents, expliqua Alice.

La Khmère trouva le jeune homme très beau, mais pas autant que Sin, son petit ami à elle. Personne ne connaissait leur relation. Elle avait envie de la révéler à Alice, mais ils avaient convenu de garder le secret jusqu'à ce que cette affaire d'enlèvement soit terminée. Sin cherchait un moyen pour libérer l'otage tout en sauvant la face du mouvement paysan.

Avec elle, Sin agissait normalement. Chan faisait souvent un rapprochement entre son père et lui : Lok Thol portait la peine d'avoir vu ses parents assassinés par les Khmers rouges, tandis que Sin portait la honte que des membres de sa famille aient participé aux massacres perpétrés par les soldats de Pol Pot. Sin ne l'avait appris qu'à l'âge de 20 ans, alors qu'il étudiait le français à l'université de Phnom Penh. Sous le choc, il avait arrêté ses études et s'était revêtu de cet habit de fou. Tout cela s'était passé 10 mois plus tôt.

Chan avait facilement percé le mystère du jeune homme. Elle connaissait cette propension humaine à s'échapper dans les méandres de la folie pour fuir la réalité. N'était-ce pas ce que faisait son père ?

Elle tentait d'aider Sin en lui répétant qu'à peu près tous les Khmers qui avaient participé au génocide étaient en liberté, aujourd'hui. Ils allaient et venaient en toute quiétude et ils ne semblaient pas éprouver de remords. Pourtant, ce serait plutôt à eux de payer. Pas à lui. Injustice ! Sin aurait tout avantage à redevenir normal et à reprendre ses études.

Elle savait que Sin appréciait Alice. Il l'avait protégée lorsqu'elle avait voulu s'évader. Elle était fière de lui.

Perdue dans ses pensées, elle sursauta en entendant la voix de son amie.

— Quand Jonathan et moi serons à l'université, nous habiterons ensemble. Si un jour je sors d'ici, évidemment, ajouta-t-elle en observant les murs qui l'emprisonnaient.

— Moi aussi, j'aimerais aller à l'université. J'y étudierais la civilisation khmère. Je veux comprendre pourquoi Angkor a été abandonné. Savais-tu que cette cité abritait autrefois près d'un million de personnes? C'était la plus grande ville du monde à l'époque!

— Euh… non. Je l'ignorais.

— On dit que cette société était "hydraulique", continua Chan, emportée par son enthousiasme. Un système d'irrigation leur permettait de cultiver d'immenses espaces et de nourrir tous ces gens. Ils avaient même des surplus agricoles qu'ils vendaient. C'est avec ce revenu qu'ils ont fait bâtir les temples. Et puis, un jour, leur puissance a diminué et leur empire a disparu. Pourquoi? J'ai souvent posé la question et je n'ai jamais été capable d'obtenir une réponse. J'aimerais lire sur ce sujet. Mais je n'ai pas de livres et sans ordinateur…

Une nouvelle fois, Alice perçut le poids de la misère dans laquelle vivait la jeune Cambodgienne. Comme si une muraille autour d'elle l'empêchait d'accéder à sa propre vie.

— Qui es-tu, Chan, dans toute cette histoire? Je parle de l'enlèvement, des déplacements, des réunions, des revendications…

Elle s'interrompit de peur d'avoir abordé un sujet trop sensible.

La Khmère la dévisagea de ses petits yeux étirés en un trait minuscule.

— Je ne suis qu'un passager clandestin.

Alice sourit.

— Ça me rappelle une chanson en espagnol qui évoque des passagers clandestins. Les paroles sont: "Je ne suis qu'un trait sur la mer, un fantôme dans la ville et ma vie est interdite."

— Moi aussi, je ne suis qu'un trait sur la mer et, moi aussi, ma vie est interdite.

Rejetant ses idées noires, Chan lui suggéra de préparer d'autres dessins des têtes du Bayon. C'était le temple le plus populaire.

— Demain, je retournerai en ville. Et si tu veux que je t'achète quelque chose, je pourrai passer au magasin. Ah oui! J'ai un bout de baguette et du fromage.

Elle les lui tendit. Alice s'en empara avidement et entreprit de savourer chaque bouchée en s'efforçant de mâcher le plus lentement possible.

Elle ne vit pas son amie quitter la hutte.

Sourkea Sampham observait les deux hommes devant lui. Ils venaient lui présenter un compte rendu de leur mission menée à Siem Reap. Cette affaire était délicate. Sourkea devait agir avec doigté, car Chan était particulièrement respectée des paysans parce qu'elle était la fille de Lok Thol.

Ary Ol expliqua qu'il avait laissé la jeune fille au marché le matin et que Bora avait pris la relève pour la surveiller.

Bora exposa plus en détail sa filature :

— Chan a côtoyé de nombreux touristes pendant la journée. Elle aurait pu cent fois leur parler d'Alice Miron et être tentée de révéler le lieu de sa détention. Je me tenais à quelques pas d'elle, prêt à réagir. Ses échanges avec les étrangers ont été conviviaux. J'avais demandé à une amie de jouer les acheteuses et d'examiner minutieusement chacun des dessins pour s'assurer qu'il n'y avait pas de message glissé quelque part. Elle n'a rien relevé de particulier. Chan a même menti en mentionnant l'endroit où elle vivait. Je suis convaincu que la fille de Lok Thol est du côté des paysans. Ne vous inquiétez pas. Elle ne nous trahira pas.

À son tour, Ary rappela que Chan avait prouvé sa fidélité par le passé.

— Souvenez-vous : elle a soigné et nourri l'otage. Elle nous a aidés lors de son déplacement d'un village à l'autre en lui parlant tout au long du voyage. Sans elle, il aurait fallu employer la force pour maîtriser la fille et courir des risques inutiles. Sans compter que nous aurions pu être remarqués. Elle s'occupe bien de la Canadienne. C'est vrai qu'elles semblent devenir proches, mais au moins, Alice Miron se tient tranquille. Elle reste silencieuse et n'attire plus l'attention sur la hutte.

Sourkea convint que Chan rendait service aux FPK et qu'elle avait toujours été loyale. Il lui faisait confiance. Il releva ses acolytes de l'obligation de la surveiller.

Avant qu'Ary ne quitte les lieux avec Bora, son chef l'interpella :

— Est-ce que tu as bien remis au destinataire le colis que je t'avais confié ?

Sourkea avait encore en mémoire la pièce de tissu imprégnée du sang de l'otage qui n'avait pas pu être analysée. Il était pourtant certain d'avoir utilisé un sac stérile. En plus, il l'avait déposé dans une boîte pour que le sac ne se déchire pas pendant le déplacement. Nul doute, le problème ne venait pas de lui. Quelqu'un avait intentionnellement contaminé l'échantillon. Mais qui ?

Ary hocha lentement la tête en signe d'assentiment.

Sourkea insista :

— Tu l'as donné au journaliste en mains propres. N'est-ce pas ?

— Oui, oui, le rassura Ary. Enfin, c'est comme si… En fait, c'est Sin, Sin Sovath qui s'en est chargé. Il m'avait demandé de le conduire en ville… C'est lui qui est descendu de la moto pendant que j'attendais devant les locaux du journal. Il n'y avait pas de place pour se stationner. Alors, Sin est monté livrer le paquet.

Sourkea lui jeta un regard qui le glaça de la tête aux pieds.

16

LA VENDEUSE

Le lendemain, Chan passa à la hutte d'Ary pour savoir s'il comptait encore se rendre à Siem Reap. Il n'était pas chez lui. Akara lui apprit que son fils n'était pas rentré la veille. Elle s'en inquiétait. Normalement, Ary lui téléphonait pour l'avertir quand il était retenu ailleurs. Chan tenta de la rassurer, après quoi elle partit seule vers la route principale pour prendre le bus.

En ville, Chan héla un tuk-tuk et se fit conduire de l'autre côté de la rivière. Arrivée là, elle enjoignit au chauffeur d'emprunter une rue moins touristique. Bientôt, ils croisèrent des échoppes de ferrailleurs, des poseurs de pneus usagés, des soudeurs, des marchands d'osier et des vendeurs d'essence contenue dans des bouteilles en plastique. Des poulets à peine déplumés pendaient devant les portes des maisons. Les édifices modernes avaient cédé la place aux habitations sur pilotis. Ils avaient atteint la partie de la ville que peu de touristes fréquentaient.

Chan pria le chauffeur de s'arrêter et d'attendre quelques minutes. Elle vérifia qu'elle n'était pas filée. Lorsqu'elle fut rassurée, elle lui indiqua l'adresse de la Villa Apsara.

○

Très tôt ce matin-là, Jonathan et Claude conduisirent Jean à l'aéroport. Il avait été appelé de toute urgence à Montréal. Jean était accablé de tristesse de devoir les abandonner. Jonathan avait refusé de le suivre. Il resterait au Cambodge pour retrouver Alice. Son oncle ne s'y était pas opposé. Il aurait fait la même chose à sa place et Éva lui avait assuré qu'elle veillerait sur son neveu.

Sur le chemin du retour, Claude s'arrêta au poste de police. Il voulait rencontrer en personne le chef pour s'informer des progrès réalisés dans l'enquête. À leur surprise, le policier refusa catégoriquement de les recevoir. Depuis le hall de l'édifice, les Québécois pouvaient l'entendre tonner son mécontentement dans son bureau.

Ils revinrent du commissariat flanqués de deux auto-patrouilles. En arrivant à la Villa Apsara, les hommes sortirent de leurs véhicules pour les accompagner jusqu'à la porte de l'hôtel. Ils prétendaient assurer leur protection. De l'avis de Jonathan, ils étaient plutôt là pour les dissuader de chercher Alice.

Au lieu de pénétrer dans la Villa Apsara, ils se dirigèrent vers un petit magasin pour y acheter quelques provisions. Le père d'Alice y entra et Jonathan préféra l'attendre dehors. Appuyé à la façade, il fixait l'un des gardes qui les escortaient. Il avait du mal à se maîtriser. Il n'avait qu'une seule envie : se défouler sur lui et lui expliquer sa façon de penser. La situation lui était de plus en plus insoutenable.

Lorsque le policier détourna le regard, Jonathan aperçut de l'autre côté de la rue une jeune Khmère très jolie. Elle déroulait des peintures qu'elle montrait aux passants. Il remarqua qu'elle portait un pantalon beige identique à celui d'Alice. Leurs yeux se croisèrent et, aussitôt, la fille traversa la rue pour lui proposer sa marchandise. Jonathan s'effaça à toute vitesse et pénétra dans l'hôtel. Il détestait être sollicité de la sorte. Et il n'était pas d'humeur à acheter des bibelots.

Chan avait reconnu Jonathan. Il avait fui en la voyant. Elle était déçue. Comment entrer en contact avec lui ou avec les parents d'Alice ? Tandis qu'elle retournait le problème dans tous les sens, elle eut la surprise d'apercevoir le père de la Canadienne sortir d'une boutique. C'était bien celui qui était sur la photo. Cette fois, elle atteindrait son but.

— Monsieur… monsieur… Voulez-vous une peinture ?

Il fit signe que non et allongea le pas.

La jeune Khmère répéta sa question. N'obtenant pas de réponse, elle le tira par la manche et l'obligea à s'immobiliser, après quoi elle se campa devant lui dans une attitude qui signifiait : « Je ne vous lâcherai pas tant que vous ne m'aurez pas acheté quelque chose. »

— Je vous ai dit non, s'impatienta Claude en anglais.

Un des policiers qui le talonnaient se rapprocha.

— Est-ce que cette vendeuse vous importune ?

— Non, non… Bien sûr que non !

La jeune fille n'avait pas une minute à perdre. Elle afficha son air le plus désespéré.

— Manger, manger…, répétait-elle en français, tout en mimant le geste de porter de la nourriture à sa bouche, comme si elle n'avait rien avalé depuis plusieurs jours.

Le père d'Alice ne voulait pas lui causer de problèmes. Même s'il n'avait pas envie de lui acheter quoi que ce soit, il déposa ses sacs de provisions par terre et il examina les images une à une.

— Je prends l'aquarelle de ce visage du Bayon.

Chan souffla. Elle lui tendit un tube de bambou et encaissa l'argent en le remerciant d'un sourire reconnaissant.

Au lieu de s'éloigner, l'homme ne bougea pas. Il la fixait, les yeux tout à coup remplis de larmes.

«Il pense sans doute à sa fille, se dit Chan. Nous avons presque le même âge.»

— Comment comptes-tu dépenser cet argent? voulut-il savoir.

— Je vais prendre un tuk-tuk pour me rendre à Angkor. J'aime l'endroit. J'y ferai sûrement de bonnes affaires.

— Quels sont tes temples préférés? l'interrogea Claude, curieux de connaître les goûts de la jeune fille.

— Ta Prhom et Ta Keo, s'empressa-t-elle de répondre avant de s'éloigner rapidement.

Elle aurait aimé rester plus longtemps pour discuter avec lui. Il semblait sympathique. Mais elle ne pouvait prendre le risque d'être reconnue en parlant au père de l'otage, même si c'était peu probable puisqu'elle se trouvait à des kilomètres du village.

Elle sauta dans le premier tuk-tuk qu'elle croisa. Une demi-heure plus tard, il la déposait à Ta Prhom.

Elle s'assit sur une marche pour se détendre un peu. Cet endroit avait quelque chose d'irréel. Une mousse épaisse verdissait les parois du temple. Comme on n'avait jamais coupé les arbres, ils avaient poussé à travers la pierre et leurs branches s'étaient frayé un chemin en zigzaguant sur les murailles. Ces ficus étaient devenus gigantesques. Ils dominaient les vieux murs et leurs énormes racines enserraient les pierres comme des mains de géant.

Chan tenta d'imaginer comment vivaient jadis les gens qui habitaient Angkor. Étaient-ils heureux? Avaient-ils suffisamment à manger? Se sentaient-ils en sécurité? Elle songea longtemps à une société idéale. Existait-elle quelque part?

Sans réponse, elle se rendit au temple de Ta Keo. Bien qu'il soit en cours de restauration, il accueillait tout de même les visiteurs.

La jeune fille s'assit par terre et déroula quelques peintures pour les offrir aux touristes. Elle n'était installée que depuis quelques minutes lorsqu'elle aperçut un homme vêtu d'une chemise bleue sur laquelle était épinglé un badge. C'était l'un des gardiens du site. Il venait vers elle. Elle se leva promptement. Il allait sans doute lui rappeler qu'il était interdit de vendre sans permis.

— Es-tu la fille de Thol? l'interrogea-t-il sur un ton méprisant.

— Vous voulez parler de Lok Thol.

— Je n'appelle pas un bandit "monsieur"! rétorqua l'homme.

— On l'appelle Lok Thol, articula Chan en colère.

— D'accord... d'accord.

Elle avala sa salive. Que savait-il de son père?

— Lok Thol n'est qu'un assassin, continua le gardien en gesticulant. On a trouvé le corps du jeune Sin dans un fossé, une balle en plein front. Des rumeurs courent que ton père l'a exécuté ou fait exécuter.

Chan resta paralysée.

«Sin... mon Sin?»

— De qui parlez-vous? s'enquit-elle du bout des lèvres.

— Mais du fou! De celui qui a étudié à l'université de Phnom Penh et qui est revenu complètement dérangé : Sin Sovath. Il était dans la même classe que mon fils. C'est lui qui m'a appris sa mort. Si ce n'est pas ton père qui l'a tué, alors c'est un des membres de son organisation de brigands.

La jeune fille blêmit.

— Reste là, ordonna le gardien en pointant un doigt sur elle et en fronçant les sourcils.

Il s'éloigna de trois pas et sortit son cellulaire. Le temps qu'il compose le numéro, Chan avait disparu.

Elle courait désespérément, s'efforçant de trouver un endroit où se cacher. Par mégarde, elle tourna autour du temple et revint au même endroit. Heureusement, l'homme était parti à sa recherche.

Elle était perplexe. Quelle direction devait-elle choisir ? Son cœur hurlait dans sa poitrine. Incapable de prendre la moindre décision, elle distingua une bâche bleue qui protégeait une ouverture creusée par les archéologues. Elle s'y précipita, souleva la toile et s'engouffra dans le trou.

À tâtons, elle découvrit des marches. C'étaient probablement les escaliers qui menaient jadis au lac. Elle se tapit au fond.

Dans le meilleur des cas, elle attendrait la noirceur pour s'échapper.

Pendant les quatre heures qu'elle passa dans ce trou humide et glacial, elle pleura. Sin ne pouvait pas être mort... Ce n'était pas possible. Elle avait tant besoin de lui.

Chan maudit cent fois son père et tous les autres. Tremblante de chagrin, elle remonta l'escalier et jeta un coup d'œil à l'extérieur. Le site était fermé et il n'y avait plus âme qui vive.

Elle sortit de sa cachette et se dirigea vers la route en empruntant des sentiers peu fréquentés. Là, elle courut jusqu'à l'épuisement. Alors, elle marcha.

Lorsque des phares de voitures apparaissaient au loin, elle sautait dans le fossé et attendait que le danger s'éloigne.

Après quelques kilomètres, elle se joignit à des gens qui montaient dans un autobus. Assise au milieu des travailleurs fatigués, Chan se mordait les doigts pour empêcher sa peine de jaillir de nouveau. Elle ne pensait qu'à son père et toute la haine qu'elle éprouvait contre lui se muait en un violent désir de vengeance.

Lorsqu'elle arriva en vue des premières huttes du village, elle descendit du bus. En s'approchant des habitations, elle le vit.

Il présidait toujours l'une de ses maudites réunions. Déterminée, elle interrompit l'assemblée et hurla :

— Qu'est-ce que tu as fait, Ta Mok ?

Elle n'aurait pu trouver pire insulte à infliger à son père. Ta Mok, aussi baptisé le Boucher, était un officier supérieur du régime communiste khmer rouge, l'un des principaux responsables, avec Pol Pot, du génocide cambodgien.

Elle n'attendit pas la réaction de son père et se glissa dans la hutte.

— Qu'est-ce que tu criais ? l'interrogea Alice en l'apercevant dans l'embrasure de la porte. Tout le monde s'est tu.

Elle lui expliqua ses propos. Après quoi, elle murmura :

— Sin Sovath est mort.

Et, n'en pouvant plus de retenir sa peine, elle éclata en sanglots.

Alice l'enlaça. Elle pleurait aussi. Elle avait perdu un allié et un ami.

Après un moment, la Khmère essuya ses larmes et lui raconta entre deux hoquets ce que le gardien du site d'Angkor lui avait appris.

— Tu te rends compte, mon père… un assassin !

— Et pourquoi aurait-il tué ou fait tuer Sin?

Chan lui révéla que, quelques jours plus tôt, elle avait confié à Sin qu'elle soupçonnait son père de souffrir de maladie mentale. Sin lui avait avoué qu'il pensait aussi que Lok Thol avait besoin de soins psychiatriques. Il trouvait ses propos incohérents. Et son état empirait.

— Sin croyait que ton enlèvement ne servirait pas la cause des paysans dépossédés de leurs terres. Au contraire, il était persuadé qu'il leur nuirait…

Akara entra dans la hutte en coup de vent et interrompit leur discussion. Elle se planta devant elles et les mit en garde:

— Lok Thol se prépare. Il arrive! Il est dans une rage terrible. Mais qu'est-ce qui t'a pris, Chan, de lui faire perdre la face? C'était une erreur, une grave erreur.

La femme tourna les talons et disparut.

— *Perdre la face*…, répéta la Canadienne. Ce n'est pas la fin du monde. Franchement!

— Oui, c'est la fin du monde! La face, c'est l'image que l'Asiatique veut donner de lui-même. Pour nous, quelqu'un d'important "a de la face". Toute atteinte à la "face" est ressentie comme une grave injure. Faire des reproches à une personne, comme je viens de le faire en public, c'est lui "faire perdre la face", en langue khmère, c'est "la tuer", car les paroles tuent autant que les armes.

Alice ne comprenait pas grand-chose à cette manière de penser.

Des grognements et des halètements la figèrent sur place. Lok Thol grimpait à l'échelle de la hutte.

Elle se réfugia contre le mur, tandis que Chan se tenait debout au milieu de la pièce, la tête haute, prête à affronter son père.

Lok Thol poussa la porte brutalement. Ses lèvres gonflées de sang s'ouvraient et se refermaient tandis que le reste de son visage était secoué de spasmes violents. Sa fille avança bravement vers lui en criant:

— Pourquoi as-tu tué Sin?

— Mais de quoi parles-tu?

— Sin a été assassiné… une balle en plein front. Je l'ai appris de source sûre.

Chan avait bégayé en prononçant ces mots et de grosses larmes coulaient sur ses joues.

Lok Thol chancela comme une haute tour sur le point de s'affaisser.

— Sin est mort, que dis-tu? Sin est mort, que dis-tu? Sin est mort, que dis-tu?

Lok Thol répétait la question comme un automate. Ses yeux semblaient rouler dans ses orbites et sa langue sortait de sa bouche comme s'il ne pouvait plus la retenir. Après un moment, c'est tout son corps qui fut pris de convulsions, puis il bascula sur le sol, inconscient.

Les deux adolescentes étaient interloquées. Lok Thol n'avait pas tué Sin. Il n'était même pas au courant de son décès. Et la nouvelle venait de l'anéantir.

Elles tentèrent de le faire revenir à lui en mouillant son visage, en lui tapotant les joues, en le déplaçant, et en lui parlant doucement, puis plus fort. Rien n'y fit.

— Je vais chercher de l'aide, décréta Chan. Surveille-le!

Alice bondit et se mit en travers de la porte de la hutte. Il n'était pas question qu'elle reste seule avec Lok Thol. Non!

Pressée, Chan lui proposa de s'asseoir sur la galerie et de garder la porte verrouillée. Alice accepta le compromis. Elle n'attendit pas longtemps. La jeune Khmère revint avec l'homme aux cheveux coupés en brosse, celui qu'elle avait observé à plusieurs reprises en train de discuter avec Lok Thol.

Lorsqu'il vit l'otage, il commença à tempêter :

— Qu'est-ce qu'elle fait là? Elle devrait être enfermée à l'intérieur.

Chan ne prit pas la peine de lui expliquer et elle l'emmena dans la hutte. Il jeta un regard froid sur le corps et le poussa du bout du pied. Lok Thol fit un soubresaut. Il était toujours vivant.

— Je le conduis à l'hôpital, il a besoin d'un médecin.

— Oh! Merci, merci, s'écria sa fille, reconnaissante.

L'homme sortit de la hutte et revint avec trois colosses qui l'aidèrent à descendre Lok Thol et à le porter dans son véhicule. Chan les suivit tout en murmurant des encouragements à son père, sans trop savoir s'il la comprenait. La voiture démarra et s'éloigna.

Alice attendait toujours sur la galerie. Elle se retenait pour ne pas prendre son élan et courir vers la liberté. La peur l'emportait. Elle s'assit et, tout en contemplant les étoiles, elle prononça, la gorge nouée par l'émotion, quelques insultes à la mémoire de son ami Sin:

— Gueule de homard! Suceur d'araignées! Xylophone d'asticots! Ours mal léché!

17

LA FILLE DE LOK THOL

Éva, Claude et Jonathan déjeunaient à leur hôtel. Il n'était que 6 h 15 du matin. Personne n'avait envie de dormir plus longtemps. Un silence de mort régnait autour de la table. Alice en était à sa huitième journée de séquestration et aucune piste valable n'avait été retenue depuis la découverte de la première hutte où elle avait été gardée prisonnière.

Pour alléger l'atmosphère, Claude raconta à sa femme qu'il avait acheté la veille une peinture à une jeune vendeuse. Elle avait fait preuve d'un entêtement incroyable, bravant les policiers qui la surveillaient.

— C'est étrange, murmura-t-il, cette fille évoquait en moi un souvenir que je ne suis pas arrivé à identifier.

Jonathan connaissait la réponse :

— Elle était vêtue d'un pantalon beige semblable à celui qu'Alice portait le jour de sa disparition ?

En entendant ces mots, les parents de l'otage laissèrent tomber leurs fourchettes sur la table. Le tintement surprit les autres convives qui s'arrêtèrent de manger.

— Quoi ? hurla Claude, hors de lui. Et tu ne l'as pas mentionné ? Mais où as-tu la tête ?

— Je t'avoue, murmura Jonathan, honteux, que je n'y ai pas prêté attention.

Pendant que Claude cherchait dans sa chambre le tuyau de bambou contenant la précieuse pièce, Éva entoura les épaules de l'adolescent pour excuser la mauvaise humeur de son mari.

— C'est correct, souffla-t-il. Nous sommes tous à bout de nerfs.

Claude revint et déroula lentement le papier. Avant même de le montrer aux autres, il tonna :

— Ce n'est pas l'une des têtes du Bayon ! Je ne voulais pas de ce paysage peint à la hâte. Cette Khmère m'a bien eu en me donnant son dessin le plus laid.

Éva saisit l'aquarelle tandis que Jonathan déplaçait leurs couverts sur la table voisine.

— Ne tire pas de conclusion trop vite, conseilla-t-elle. La jeune fille a peut-être effectué intentionnellement la substitution.

En observant la représentation, Jonathan y nota une ressemblance avec le style d'Alice, bien que le travail ait été un peu bâclé.

— Tu as raison, acquiesça Éva. Mais je n'en suis pas certaine à cent pour cent.

— Moi non plus! reconnut le jeune homme.

Claude entreprit de décrire ce que montrait la peinture:

— C'est une scène de vie à la campagne. Au premier plan, deux buffles sont attachés. On devine qu'ils ont les pieds dans l'eau d'une rizière. Des plantes flottent derrière eux…

— *May I bring you something*[1]? voulut savoir le serveur en interrompant Claude.

— *No, thank you,* refusa Jonathan, sans relever la tête.

Ignorant Mao, Claude poursuivit son énumération:

— Au milieu de la rizière, on distingue un jardin où des légumes poussent. À l'arrière-plan, une femme se tient debout. Et il y a encore des buffles et quelques arbres. Voyez-vous autre chose?

— *Are you sure you don't want a juice or a coffee*[2]? insista le serveur.

Personne ne releva la question; ils étaient tous concentrés sur la peinture.

---

1. «Puis-je vous apporter quelque chose?»
2. «Vous êtes certains que vous ne voulez pas un jus ou un café?»

Après plusieurs minutes, Éva interrogea son mari :

— As-tu une idée de l'endroit où l'on pourrait retrouver la jeune vendeuse ?

— Non… Ah ! Mais oui, hier, elle m'a dit qu'elle se rendait à Angkor, aux temples…

Il réfléchit.

— Ta Prhom et Ta Keo, lança-t-il, sûr de lui. Elle a mentionné que ce sont ses temples préférés à Angkor. Si on est chanceux, elle travaille là aujourd'hui ! Sinon, quelqu'un sur place pourrait la connaître.

— On aura besoin d'un traducteur, les avertit Jonathan.

Claude consulta sa montre : il n'était que 7 heures. Il décida d'appeler quand même Radzi, bien qu'il soit très tôt.

Jonathan jeta un coup d'œil à l'extérieur de l'hôtel. Les hommes chargés de surveiller la Villa Apsara étaient postés tout près de l'entrée. Il retourna au restaurant et commanda du café en spécifiant de le servir au jardin. Ils auraient ainsi la possibilité de sortir sans être vus.

Profitant d'un moment d'inattention de leurs gardes, ils se faufilèrent tous les trois dans la rue. Ils marchèrent quelque temps avant de héler un taxi. Ils n'avaient pas choisi l'un des véhicules stationnés en bordure de l'hôtel de peur que le conducteur soit de mèche avec la police.

Ils s'engouffrèrent dans la voiture. En route, ils s'arrêtèrent pour prendre Radzi et ils poursuivirent leur chemin jusqu'au temple de Ta Keo. Là, ils prièrent le chauffeur de les attendre.

Sans perdre une minute, Claude interrogea les commerçants occupés à installer leur marchandise. Radzi traduisait les questions et les réponses au fur et à mesure. Ils furent unanimes : personne ne connaissait une jeune fille qui proposait des peintures aux touristes.

Ils étaient sur le point d'abandonner lorsqu'un gardien traversa le site en moto. Jonathan s'élança à sa suite, courant à toute allure en hurlant à l'homme de s'arrêter. Finalement, le motard l'entendit et immobilisa son véhicule. Essoufflé, le garçon l'interpella en anglais. Le gardien lui indiqua sans hésiter et dans la même langue qu'il avait bien vu une femme :

— Elle s'était installée là-bas…

Il désignait l'endroit où se tenaient encore Éva, Claude et Radzi.

Il ajouta :

— Elle était assise par terre, occupée à dérouler des dessins qu'elle sortait d'un grand tube de bambou. Je l'ai reconnue : c'est une parente de Lok Thol. Ce hors-la-loi !

Jonathan avala sa salive. Avait-il bien entendu ? Il lui demanda de répéter ses propos. Il avait bien compris !

— S'il vous plaît, venez parler de tout ça avec mes amis qui visitent le temple. Ils sont très intéressés par tout ce qui se passe au Cambodge.

L'homme acquiesça d'un léger signe de tête et désigna la place derrière lui. L'adolescent enfourcha la moto et ils rejoignirent Éva, Claude et Radzi.

— Elle offrait des peintures aux touristes, leur expliqua le gardien. Il n'y avait pas d'autres vendeuses sur les lieux. C'était Chan, la fille de Lok Thol, ce bandit qui encourage les paysans expropriés à se rebeller contre notre gouvernement. Vous en avez peut-être entendu parler…

— Vous confirmez qu'il s'agit de l'enfant d'un dirigeant des FPK, reprit lentement Claude, le cœur battant à tout rompre.

— Exactement ! D'ailleurs, elle s'est enfuie avant que j'aie le temps de la conduire au poste de police.

Discrètement, le père d'Alice saisit la main de son épouse et la serra étroitement. Il venait d'apprendre que la jeune Khmère qui lui avait vendu l'aquarelle connaissait non seulement le ravisseur d'Alice, mais qu'elle lui était très liée. Il s'agissait de son propre père!

Les regards de Radzi et de Jonathan trahissaient leur joie chargée d'espoir.

Étonné de l'intérêt manifesté par les touristes, le gardien les informa que, la veille, Lok Thol avait été amené à la prison de Siem Reap. Il serait accusé, notamment, du meurtre de Sin Sovath.

— On ne reverra plus ce Lok Thol de sitôt. C'est une excellente nouvelle! se réjouit-il.

— Qui est Sin Sovath? l'interrogea Claude.

L'homme haussa les épaules.

Éva s'informa de l'endroit où habitait la fille de Lok Thol. Elle omit de lui révéler qu'elle était la mère de la jeune Canadienne enlevée par les FPK. Elle n'avait pas de temps à perdre en vaines paroles de consolation.

— Madame, si on connaissait l'endroit où ces gens se cachent, Lok Thol aurait été arrêté depuis un moment!

Voyant qu'ils n'obtiendraient rien de plus, les Québécois le remercièrent et retournèrent vers le taxi.

— La fille du dirigeant des Forces paysannes khmères voulait qu'on achète un dessin en particulier..., réfléchit tout haut

163

Jonathan tandis que le véhicule cahotait sur la route de terre.

Il se concentrait de toutes ses forces pour comprendre la situation, tout en livrant ses réflexions aux parents d'Alice :

— Elle a d'abord cherché à m'aborder. Je suis entré dans l'hôtel. Elle a alors accosté Claude et insisté pour qu'il lui achète quelque chose. Il a choisi l'aquarelle de la tête du Bayon, mais elle l'a substituée pour lui donner un autre dessin. Il contient probablement des indices concernant l'enlèvement d'Alice, sûrement pour nous mener à son lieu de détention.

Il se tut et observa tour à tour Éva et son mari, qui l'écoutaient attentivement.

— Avez-vous une idée de la raison pour laquelle elle ne nous a pas simplement révélé où est détenue votre fille ?

— Elle aurait tenu à se protéger ou à protéger quelqu'un, supposa Claude. Ou elle aurait voulu éviter d'être mêlée à l'histoire. Si elle s'était exprimée ouvertement, la police l'aurait interrogée. Et comme c'est la fille de Lok Thol, on en aurait déduit qu'elle était de mèche avec les ravisseurs. Elle aurait couru le risque d'être emprisonnée. Je considère qu'elle a été très brave de venir jusqu'à nous.

Le visage inquiet de la jeune femme lui revenait en mémoire. Il se souvenait du sentiment paternel qui l'avait un moment envahi en lui faisant face. Il avait senti qu'elle était en danger, tout comme sa propre fille, et qu'elle avait besoin de protection.

Alors que la voiture entrait dans la ville de Siem Reap, Jonathan suggéra de se rendre à la prison où était enfermé Lok Thol. Cet individu était le chef des FPK. Il devait forcément savoir où était cachée Alice.

— Et s'il acceptait de collaborer ? espérait Éva.

— J'y ai pensé, révéla Claude. Mais il y a un problème de taille : il nous faut une permission spéciale pour rendre visite à un détenu. En plus, dans un pays étranger... En fait, j'avais l'intention de solliciter l'ambassade pour obtenir son aide.

— Attendez! s'écria Radzi. Je viens de me souvenir : le directeur de la prison... je l'ai vu par hasard, la semaine dernière.

Tandis qu'il sortait son cellulaire et entamait une recherche dans sa liste de contacts, il leur apprit que l'homme s'appelait Hubert Hoc, et qu'il parlait aussi français.

Il l'avait rencontré plusieurs années auparavant à l'école de langues. Ils n'étaient pas particulièrement amis, mais quelques jours

plus tôt, il l'avait croisé dans un restaurant
et ils avaient échangé leurs coordonnées.

— C'est un gars bizarre, signala-t-il.
Malgré son air gentil, c'est un colérique qui
s'emporte pour un rien. Vous auriez dû le
voir abreuver le cuisinier d'injures.

Le policier-interprète obtint immédiatement la communication. Il expliqua à Hubert
Hoc qu'il désirait lui rendre visite au sujet
d'un dénommé Lok Thol qui séjournait dans
sa prison.

— Je suis attendu, déclara Radzi en étei-
gnant son téléphone.

Tandis que la voiture se frayait un passage
à travers une circulation entravée par une
manifestation, Claude saisit la main d'Éva.

— Nous allons la retrouver, notre fille.

Éva hocha la tête en serrant les lèvres.

À destination, Jonathan resta dans le taxi.
Radzi jugeait que le directeur pourrait refu-
ser de les recevoir s'ils étaient trop nombreux.
Éva, Claude et Radzi entrèrent dans la prison
par une porte étroite et basse. Une odeur de
renfermé et d'humidité imprégnait les lieux.
Des effluves d'urine leur parvenaient depuis
le fond du bâtiment. Éva eut un haut-le-cœur
qu'elle réfréna avec peine.

Un homme en uniforme les pria de
patienter.

Hubert Hoc se présenta lui-même en inclinant le torse. Le directeur était si petit qu'il arrivait à peine à la poitrine d'Éva. En fait, il ressemblait à tout, sauf à l'image qu'on se faisait d'un responsable de prison. Il caressa un moment les quelques poils qui poussaient sur son menton en galoche tout en détaillant le groupe d'un air abruti.

— Je ne savais pas, Radzi, que tu étais accompagné d'une délégation étrangère.

Sa plaisanterie ne fit rire personne. L'interprète présenta rapidement Éva et Claude sans mentionner leurs liens avec la jeune fille enlevée par les FPK. Hubert Hoc les invita à le suivre.

Ils longèrent un corridor aux murs délavés et s'arrêtèrent devant une porte munie d'un lourd cadenas. Pendant qu'un gardien l'ouvrait, les Miron tendaient l'oreille. Des cris et des hurlements montaient jusqu'à eux.

Ce lieu était assurément macabre et inhospitalier.

— Nous avons dû amener le détenu à l'infirmerie, expliqua Hubert Hoc en leur présentant le médecin qui avait examiné Lok Thol.

Ils entrèrent dans une salle chargée d'une odeur de désinfectant. Un homme gisait dans un lit à l'extrémité de la pièce.

— Lok Thol tenait des propos confus, délirants même, continua Hubert Hoc en le désignant. Il devenait de plus en plus agité.

Le médecin fit un signe de la main pour demander la parole.

— Lok Thol s'est réfugié dans la maladie, commença-t-il. Il a sans doute été victime d'une violence émotionnelle insoutenable…

— Ça va lui passer, l'interrompit Hubert Hoc, une moue sur les lèvres.

Le médecin baissa les yeux et les parents d'Alice comprirent qu'il n'avait pas voix au chapitre.

— Sera-t-il en mesure, psychologiquement, de subir un procès? s'enquit Éva.

Son père avait été juge et elle avait été éduquée dans l'esprit de respecter en tout temps les règles élémentaires de justice.

Hubert Hoc haussa les épaules et dodelina de la tête.

— Vu le tort qu'il a causé à notre pays, je ne pense pas que son état de santé sera pris en considération.

Offusquée, Éva s'approcha de l'homme couché. Elle nota qu'il était menotté au montant du lit et que ses poignets portaient des traces d'un rouge vif. Il avait probablement tenté de se défaire de ses entraves, ce qui signifiait qu'il avait été conscient à un moment donné.

Elle se pencha sur Lok Thol et lui murmura quelques mots. Le prisonnier était dans un état désastreux. Il ne parvenait à ouvrir ni les yeux ni la bouche.

Ils n'en tireraient rien.

— Si j'ai bien compris, déclara Claude, Lok Thol est accusé du meurtre d'un dénommé Sin Sovath.

— C'est bien ça, confirma Hubert Hoc en tirant les poils de son menton. Et l'homme qui nous l'a amené hier pense qu'il aurait aussi tué l'otage. Vous savez, la jeune Canadienne enlevée par les Forces paysannes khmères...

Un silence de plomb s'abattit sur la pièce.

18

UNE DISCUSSION UTILE

Jonathan attendait patiemment dans le taxi tout en réfléchissant. Les jours précédents, il avait souvent été gagné par le découragement. Il n'arrivait plus à dormir. Il voyait Alice dans ses rêves. Elle le suppliait de venir la délivrer. Il marchait vers elle et il se heurtait invariablement à un mur de verre qu'il frappait de toutes ses forces pour le briser… sans résultat! Désespéré, il se réveillait en sursaut en criant le nom d'Alice.

Ses parents l'appelaient souvent du Québec. Ils étaient inquiets. Ils parlaient longuement à Éva et Claude. Ils avaient bien tenté de convaincre leur fils de revenir au pays, mais il refusait. Il n'abandonnerait jamais sa quête et demeurerait au Cambodge le temps qu'il faudrait pour retrouver celle qu'il aimait.

Le chauffeur le tira de ses réflexions et lui fit quelques commentaires sur la météo. Voyant qu'il se débrouillait bien en anglais, Jonathan voulut savoir ce qu'il pensait des FPK.

— Je connais plusieurs familles qui ont perdu tous leurs biens. Alors, je ne peux pas rester indifférent à leur malheur. Ils veulent seulement obtenir justice. Par contre, je ne comprends pas pourquoi ils ont enlevé la Canadienne. Les paysans sont généralement des gens pacifiques. Ils aiment leurs terres comme on aime son enfant.

« Cet homme parle des FPK comme si leurs membres étaient aussi des victimes », pensa l'adolescent.

— D'où venez-vous, jeune homme ? l'interrogea le conducteur.

— De... de la Belgique.

Il avait menti pour éviter de mentionner qu'il était canadien et qu'il connaissait Alice. Ainsi, il obtiendrait peut-être plus de renseignements.

Comme l'homme restait silencieux, assis derrière son volant, Jonathan lui répéta les propos du gardien du temple de Ta Keo au sujet du meurtre de Sin Sovath :

— Il aurait été commis hier par un homme appelé Lok Thol, précisa-t-il.

Le chauffeur avoua avoir été ébranlé par cette nouvelle. Il avait appris la mort de Sin Sovath tôt le matin, alors qu'il écoutait la radio. On rapportait que Sovath était lié aux

FPK et on avait aussi parlé de l'arrestation de Lok Thol.

— Je le connais, ce Lok Thol, prétendit-il. C'est un homme dévoué à sa cause. Seulement, tout porte à croire qu'il a perdu son autorité sur ses troupes. Cette jeune fille retenue en otage est certainement en danger. Elle a peut-être déjà été éliminée. La mort de Sin Sovath est l'indice d'un changement au sein des Forces paysannes khmères. Les membres qui sont partisans de la violence semblent avoir pris le contrôle du mouvement.

Jonathan appuya sa tête contre la portière. La sueur trempait tout son corps. Ses mains tremblaient.

« Ce n'est pas le moment de flancher », se répéta-t-il pour reprendre contenance.

Avant que le conducteur ne remarque son désarroi, il le questionna de nouveau :

— Savez-vous où je pourrais trouver de l'information en anglais sur le meurtre de Sin Sovath et sur l'emprisonnement de Lok Thol ?

— Il y a un kiosque à journaux à quelques rues d'ici. Si vous voulez, on a le temps d'y aller. Vous pourrez y acheter le *Phnom Penh Post*. C'est le quotidien de langue anglaise du Cambodge.

Quelques minutes plus tard, Jonathan constatait que toute une page était consacrée à l'assassinat de Sin Sovath. On y apprenait que sa famille avait combattu auprès des Khmers rouges et que le jeune homme en portait les stigmates. On l'associait indirectement aux Forces paysannes khmères, puisqu'on l'avait vu en compagnie de partisans du mouvement et qu'il avait habité le village où Alice avait été enfermée avant son déménagement.

Il existait donc un lien étroit entre la disparition de son amie et le meurtre de Sin Sovath. C'était un élément primordial qui pourrait leur permettre de lancer les recherches sur une nouvelle piste.

Avant de revenir à la prison, le jeune Québécois fit arrêter la voiture devant un café Internet. Il était à présent persuadé qu'ils devaient recourir aux services d'un détective privé. Et le plus vite possible. La mort de ce jeune homme apportait quelque chose de nouveau. Investiguer nécessiterait quelqu'un de spécialisé en enquête policière. Seuls, les trois Québécois n'y arriveraient jamais. Si on savait par exemple où avait habité ce Sin Sovath les derniers jours avant sa disparition, on serait déjà sur une piste.

Le garçon se faufila jusqu'au comptoir et loua un poste d'ordinateur pour quelques minutes. Il s'installa aussitôt derrière l'écran.

Il le fixa un moment. L'écriture était en khmer. Cette langue comportait des caractères qui n'avaient rien à voir avec l'alphabet occidental. L'employé du centre Internet comprit son embarras et lui fournit un clavier anglais.

Jonathan éplucha rapidement toutes les annonces de détectives. La plupart offraient leurs services en anglais. Il lut la description des spécialités de chacun et il choisit celle qui semblait la plus susceptible de les aider. Il imprima la présentation de l'agence et ses coordonnées, puis rejoignit le chauffeur qui l'attendait à l'extérieur.

Ils reprirent aussitôt la route de la prison.

19

L'ENTÊTEMENT D'HUBERT HOC

De toute évidence, le directeur n'avait pas noté que le nom de famille de Claude était le même que celui d'Alice Miron.

— Celui qui vous a amené Lok Thol en vue de le faire emprisonner… vous a-t-il donné des indices concernant le lieu de détention de l'otage ? lui demanda Éva en se raclant la gorge.

Hubert Hoc ouvrit la bouche pour répondre et se ravisa. Il ne les renseignerait pas. Il se tourna plutôt vers Radzi d'un air mécontent.

— Tu sais bien que ces informations sont confidentielles.

Ce dernier resta de glace. Il assistait à l'entretien seulement à titre de traducteur.

Tout en désignant la sortie aux étrangers, Hubert Hoc expliqua qu'il n'était pas autorisé à divulguer des éléments de l'enquête.

Mais la mère d'Alice avait saisi le lien entre l'enlèvement de sa fille et le meurtre de Sin Sovath. Elle insista :

— Est-ce que cet homme vous a donné quelque indication qui prouve que Lok Thol a assassiné Sin Sovath?

— Je ne crois pas que la culpabilité ou la non-culpabilité de Lok Thol vous concerne, répliqua durement Hubert Hoc en détachant chaque syllabe.

Il n'en fallut pas plus pour que Claude entre dans une colère noire:

— Vous allez arrêter de jouer au fou avec nous...

En l'entendant, Radzi ne put réprimer un petit sourire en coin. Il n'aimait pas ce personnage prétentieux.

Claude révéla au directeur qu'il était le père de l'otage, la jeune Canadienne dont il avait parlé plus tôt, et que la femme à ses côtés était sa mère. Il exigea de connaître l'identité de l'homme qui avait livré Lok Thol, ainsi que tous les renseignements dont il disposait à son sujet.

— Elle n'est peut-être pas morte, bafouilla Hubert Hoc, feignant l'embarras.

Les Miron le mitraillaient des yeux.

— Bon, bon, tempéra-t-il en leur montrant la paume de ses deux mains pour les tranquilliser. Il se nomme Sourkea... Sourkea Sampham. Il a escorté Lok Thol directement ici, sans passer par le poste de police.

Quelqu'un a noté sa… Comment dit-on ça en français déjà?

— Déposition, lui rappela Radzi.

— C'est ça: quelqu'un a pris en note sa déposition en bonne et due forme.

Il leva le bras dans un geste évasif, signifiant qu'une personne, quelque part dans cet endroit crasseux, avait fait son travail.

Après quoi, il continua sur le même ton monocorde:

— Sourkea Sampham nous a révélé que Lok Thol est non seulement un meurtrier, mais aussi le chef des Forces paysannes khmères. Ça, on s'en doutait déjà… En nous le livrant, Sourkea Sampham a donc fait d'une pierre deux coups!

Comme les visiteurs devant lui gardaient le silence, il ajouta:

— Vous savez, tant que ces paysans étaient paisibles, on les laissait parler et on écoutait leurs lamentations. On les encourageait à passer à autre chose. À trouver un nouveau travail. Maintenant, ils sont devenus des hors-la-loi et ça change tout! On peut les appréhender et les emprisonner à notre guise.

Il suspendit son discours pour les gratifier d'un sourire narquois. La perspective de priver les villageois de leur liberté semblait le rendre heureux.

— Ah oui! reprit-il, Sourkea Sampham n'a pas formellement déclaré que la jeune Canadienne était morte, seulement qu'il ne donnait pas cher de sa peau… Bref, elle n'en aurait plus pour longtemps. Il est persuadé que si Lok Thol ne l'a pas déjà exécutée, les membres des Forces paysannes khmères le feront à sa place pour se venger de l'incarcération de leur chef. Et comme il m'a raconté tout ça hier soir, j'ai présumé, peut-être à tort, qu'elle était…

Il faisait face aux parents d'Alice. Il n'osait pas prononcer le mot *morte*. Moins pour les épargner que parce qu'il n'aimait pas les épanchements excessifs.

Mais il n'avait pas choisi le bon travail pour ça. Les détenus se plaignaient pour un rien. Ils sifflaient, criaient, suppliaient, hurlaient des insanités. Ils se provoquaient les uns les autres pour le simple plaisir de s'invectiver. Chaque jour, chaque matin, chaque heure, le directeur se mordait les doigts d'avoir embrassé cette profession.

Il fixa tour à tour le père et la mère de l'otage. Il inspira profondément et expira lentement tout en penchant légèrement la tête sur le côté. Il tentait d'adopter une position qui témoignerait de sa sollicitude. Mais il était piètre acteur.

La vérité, c'était qu'il n'en avait que faire, de cette fille et de ses parents. Par contre, il ne voulait pas de problèmes. Et ces Occidentaux étaient passés maîtres dans l'art d'en causer !

Il choisit de tout leur dévoiler :

— Aussitôt arrivé ici, Sourkea Sampham a téléphoné à une personne haut placée au ministère de la Justice et il a obtenu la permission d'interroger le prévenu qui venait tout juste de reprendre connaissance. J'ai moi-même vérifié auprès de son interlocuteur. Il m'a confirmé qu'on devait donner carte blanche à Sourkea Sampham et le laisser seul avec Lok Thol. C'était une question de sécurité nationale. Sourkea Sampham nous a appris que le détenu avait été violent lors de l'interrogatoire. Il a requis qu'on lui administre des sédatifs. Nous avons suivi les ordres. Voilà tout !

— "Suivi les ordres, suivi les ordres", maugréa Claude, toujours le même refrain…

Hubert Hoc fit mine de ne pas l'avoir entendu.

— Voulez-vous que je transmette vos coordonnées à Sourkea Sampham ? Il communiquera avec vous.

— Donnez-nous plutôt les siennes, opposa Claude.

Le directeur expliqua que, pour une question de confidentialité, il n'était pas autorisé à fournir ces renseignements. Alors, Éva lui tendit la carte de la Villa Apsara.

— L'adresse et le numéro de téléphone où nous joindre sont là. Nous voulons parler à monsieur Sampham, sans faute.

Les visiteurs quittèrent les lieux et, une dizaine de minutes plus tard, le taxi déposa Radzi devant sa résidence.

— Quand allez-vous me raconter ce qui s'est passé à la prison ? s'enquit alors Jonathan, inquiet devant leur mine abattue.

— Je t'expliquerai à l'hôtel, promit Claude, soucieux.

Ils restèrent silencieux jusqu'à ce qu'Éva murmure :

— Alice n'est pas morte. Cet homme nous a menti.

L'adolescent sentit une épée lui transpercer le cœur.

— Moi aussi, je pense qu'elle est bien vivante, renchérit le père d'Alice. Je n'accorde aucun crédit aux paroles de cet imbécile. J'ai seulement hâte de serrer ma fille dans mes bras.

Éva avait les yeux baignés de larmes. Malgré son désespoir, elle gardait l'esprit clair.

— Comment peuvent-ils accuser un homme sans preuve ?

En arrivant à destination, Jonathan leur proposa de s'installer de nouveau au restaurant afin d'examiner le dessin. C'était le seul endroit où ils avaient suffisamment de place pour s'asseoir tous ensemble. Il disposa les chaises tandis qu'Éva allait chercher le tube de bambou.

Lorsqu'ils furent tous les trois attablés, Claude raconta à Jonathan qu'un dénommé Sourkea Sampham avait livré Lok Thol aux autorités.

— Il y a quelque chose d'étrange dans la façon dont s'est déroulée l'arrestation, car ce Sourkea n'est pas un policier. Nous devons en apprendre plus sur cet homme. Pour qui travaille-t-il ? D'où vient-il ? A-t-il des amis parmi les forces de l'ordre ? Était-il en contact avec Lok Thol depuis longtemps ? Il nous faut fouiller son passé. Pour ça, nous avons besoin de quelqu'un qui connaît bien les intermédiaires du milieu judiciaire : les pathologistes, le personnel de laboratoire, les préposés aux dossiers, les avocats… Il n'est pas question de mêler Radzi à cette enquête. Ce serait mettre son emploi en péril.

— Nous devons engager un détective de Phnom Penh, affirma Jonathan.

Il leur signala qu'il avait fait des recherches pendant qu'ils rencontraient le directeur de la prison. Tout en parlant, il sortit la feuille qu'il avait imprimée.

Impressionné, Claude le remercia et lut à haute voix la description des opérations que pouvait effectuer l'agence sélectionnée par le jeune homme :

— Contre-enquêtes pénales et administratives, usurpations d'identité, géolocalisations, escroqueries, enquêtes sur des personnes, filatures et surveillances, vérifications de témoignages…

— C'est exactement ce qu'il nous faut, admit Éva tandis que son mari se levait pour se rendre dans sa chambre afin de les appeler immédiatement.

— Je l'accompagne, lança Jonathan en le suivant.

La réceptionniste de l'agence de détectives transféra l'appel au grand patron, Kéo Sokha. Claude mit le haut-parleur du téléphone afin que Jonathan puisse suivre la conversation.

Il se présenta à Kéo Sokha et lui expliqua qu'il était le père d'Alice Miron, la fille prise en otage par les Forces paysannes khmères. Vu l'inaction des forces de l'ordre, ils devaient enquêter eux-mêmes sur la disparition de leur fille. Il exposa ensuite en détail tout ce qui touchait de près ou de loin à son enlèvement.

— La mort de Sin Sovath semble être un élément important, souligna Kéo Sokha. Il existe assurément un lien avec le rapt de votre fille. Je commencerai par creuser cette piste. Je suggère de faire réexaminer le cadavre de Sin Sovath afin de vérifier si son corps porte des traces de lutte. Et, si oui, je m'occuperai d'obtenir une analyse d'ADN de tout tissu humain étranger prélevé sur lui. Pendant ce temps, une autre équipe passera au peigne fin l'ensemble des éléments de l'enquête. On doit connaître l'endroit où il habitait les jours précédant son décès. Qu'en pensez-vous ?

Claude acquiesça. Il constatait avec satisfaction que Jonathan avait choisi la bonne agence.

Ils réglèrent les questions d'honoraires et Kéo Sokha se dit à leur disposition 24 heures sur 24. Et si, exceptionnellement, il n'était pas joignable, ils pouvaient contacter l'un de ses employés, Novann Rainsy.

Lorsque Claude et Jonathan revinrent à la table auprès d'Éva, le repas était servi. Claude engloutit rapidement le poulet au cari. Il reprit ensuite patiemment l'énumération des détails contenus dans le dessin que lui avait vendu la fille de Lok Thol.

De nouveau, Mao l'interrompit avec un sans-gêne incroyable. Il s'était même approché pour observer l'image au-dessus de leurs têtes.

— *Would you like to eat something else*[1] ?

Des soupirs d'exaspération lui répondirent.

---

1. «Aimeriez-vous manger quelque chose d'autre?»

20

DES QUESTIONS CRUCIALES

Chan était inconsolable. Elle avait passé la nuit dans la hutte avec Alice. Elle lui avait parlé de Sin et de leurs projets d'avenir. Les deux adolescentes n'avaient presque pas dormi.

Alice avait inspecté les alentours à plusieurs reprises avant de conclure que trop de paysans des FPK circulaient dans les environs pour tenter quoi que ce soit. C'était déjà le début de l'après-midi et son amie khmère était toujours assise sur le sol, incapable de prendre la moindre décision.

Elle la laissa un instant et sortit pour s'accroupir derrière les arbres. Elle savait que plus personne ne lui apporterait le seau. Alice en profita pour cueillir des mangues et décrocher quelques bananes à un régime suspendu à un pilotis. Ça leur ferait au moins quelque chose dans l'estomac.

Elle s'apprêtait à remonter dans la hutte quand elle céda le passage à Akara qui descendait de l'échelle. De retour aux côtés de Chan, elle l'interrogea :

— Qu'est-ce qu'elle voulait?

— M'annoncer que mon père a été emprisonné hier, débita Chan, sous le choc. Il sera
accusé du meurtre de Sin et de complot
contre le gouvernement.

Une fois de plus, elle s'effondra.

— Il n'est pas à l'hôpital! Je ne comprends pas… Son ami devait l'y amener. Ils
ont dû être interceptés sur la route par des
policiers.

Alice se questionnait: «Ne serait-ce pas
plutôt cet homme étrange qui a conduit Lok
Thol directement en prison?»

Désespérée, la Khmère se laissa glisser
de tout son long sur la natte d'osier.

— Garde la tête claire, l'avertit Alice. Ce
n'est pas le moment de tout abandonner.
Accroche-toi! Il y a forcément un moyen
de secourir ton père. Il faut réfléchir et le
trouver.

Chan obéit et se rassit tout en essuyant
ses larmes du revers de la main. Alice lui
rappela que Sin prétendait que son enlèvement ne profiterait pas aux paysans.

— C'est bien ce qu'il a affirmé, n'est-ce
pas?

La jeune fille confirma d'un signe de la
tête.

La Québécoise continua:

— Et pourquoi Sin pensait-il ainsi?

N'obtenant pas de réponse, elle poursuivit:

— Toi et moi sommes au courant que, grâce à mon enlèvement, on a beaucoup évoqué l'expropriation des paysans: à la télévision, à la radio, dans les journaux, sur Internet... Si cette couverture médiatique ne sert pas les intérêts de ceux qui ont perdu leurs biens, à qui sera-t-elle utile?

Elle connaissait la réponse. Du moins, elle croyait la connaître. Elle avait une petite idée de ce qui se tramait ici. Cependant, elle savait qu'elle ne devait pas imposer son point de vue. Seulement amener Chan à comprendre, par elle-même et à son rythme. Et lorsqu'elle prendrait conscience du problème, il faudrait encore qu'elle lui fasse confiance pour accepter qu'Alice appelle ses parents à l'aide.

La jeune fille ferma les yeux et attendit. Ces huit jours de captivité l'avaient entraînée à la lenteur et au calme. Une quinzaine de minutes plus tard, elle perçut la voix minuscule de son amie. Son visage était baigné de larmes qu'elle ne parvenait pas à refouler.

Alice se rendit compte, en la voyant si malheureuse, qu'elle avait peut-être manqué de compassion à son égard. Sin, son petit ami, venait d'être assassiné et, maintenant, son père était emprisonné. Elle se retrouvait seule au milieu d'un groupe assoiffé de vengeance.

— Sin avait donc raison de s'inquiéter, reconnut Chan entre deux hoquets.

Elle confessa à Alice qu'il avait décidé d'enquêter sur Sourkea Sampham. Sin avait remarqué que Sourkea accompagnait souvent Lok Thol et qu'il lui soufflait des instructions.

— Sourkea… Est-ce celui qui devait amener Lok Thol hier soir à l'hôpital ? l'interrogea Alice.

Elle voulut s'assurer qu'elles avaient le même homme en tête.

La Québécoise en fit une description sommaire :

— Il est grand et il a les cheveux coupés en brosse. Il était venu parler à ton père quand il était au volant de la camionnette lorsqu'on m'a déplacée ici.

— Oui, c'est bien lui : Sourkea Sampham !

— Je l'ai souvent observé par un trou dans le mur de la hutte, avoua Alice. Lok Thol agissait bizarrement avec lui. Par exemple, il le saluait d'une drôle de façon. Ça m'a frappée. Je sais que, normalement, les Cambodgiens posent leurs paumes à plat l'une contre l'autre et qu'ils lèvent leurs mains à peu près à la hauteur de la poitrine. Eh bien, ton père les montait jusqu'à son front en se courbant très bas devant Sourkea!

— C'est donc qu'il le considérait comme une personne très importante. Un supérieur. De cette manière, il signifiait qu'il lui devait obéissance…

Chan réfléchit. Elle ne parvenait pas à donner un sens à tout ça. Pourquoi avait-on tué Sin? Pourquoi son père était-il détenu?

Elle s'étendit sur la natte et ferma les yeux.

— À qui profitera mon enlèvement? lui rappela Alice. C'est la question à laquelle tu dois réfléchir.

21

MAO

Ce serveur était une véritable peste. Personne n'avait envie de manger autre chose et il persistait à se coller à eux.

Exaspéré, Jonathan se leva et lui montra du doigt la direction des cuisines en l'invitant à y faire un tour et à leur ficher la paix.

Avant de partir, le Khmer lança tout bonnement en anglais et en riant dans sa barbe :

— *Bad purchase! That painting makes no sense*[1] !

À ces mots, il disparut.

Éva bondit sur ses pieds et le rejoignit. Elle le pria d'excuser l'attitude grossière de Jonathan et elle le ramena dans la salle à manger.

— S'il vous plaît, expliquez-nous ce qui ne va pas dans cette peinture, reprit-elle en anglais.

Le serveur haussa les épaules et, tout en fixant le garçon étranger d'un air fanfaron, il avança que le dessin n'était pas réaliste :

_____

1. «Mauvais achat! Cette peinture n'a aucun sens.»

— On ne met pas un jardin en plein milieu d'une rizière, certifia-t-il.

Tous se concentrèrent sur la partie où étaient dessinées de longues herbes. C'était un détail auquel ils n'auraient jamais songé.

— Imaginez un instant que les plantes n'y sont pas, proposa Jonathan en anglais pour que Mao puisse suivre la conversation.

En plissant les yeux, il avait cru entrevoir une forme particulière. Dans le rectangle apparaissaient les cinq sillons d'un jardin, comme cinq lignes horizontales parfaitement tracées au crayon de manière à ce qu'elles soient parallèles les unes aux autres.

— Est-ce un drapeau ? supposa Éva.

— Oui, et je pense qu'il s'agit de celui de la Thaïlande, soutint le serveur.

Jonathan se saisit de l'ordinateur et fit une brève recherche. Il confirma que le dessin correspondait aux cinq bandes du drapeau thaïlandais. Les deux zones du haut et les deux du bas étaient de même dimension. La largeur de celle du milieu était double.

— Vous aviez raison, Mao ! s'exclama chaleureusement Éva. Il ne s'agissait pas d'un jardin. Merci du fond du cœur. C'est un signe important. Je suis…

— Je sais, la devança le Khmer. Vous êtes la mère de l'adolescente prise en otage.

Pendant qu'il parlait, Éva fouilla dans son sac. Elle en sortit un généreux pourboire qu'elle tendit au serveur en le remerciant pour son aide précieuse. Cette peinture contenait un message de leur fille. Et ils devaient le décrypter.

— Attendez, ce n'est pas tout. Je crois qu'il y a autre chose de bizarre dans la composition du tableau, intervint encore Mao.

Tous se penchèrent de nouveau au-dessus du dessin, cherchant un nouvel indice tout en écoutant le Khmer.

— Les taches noires en avant, sous le buffle et à sa gauche. Les voyez-vous ? Savez-vous de quoi il s'agit ?

— Pas avec certitude, avoua Claude. J'ai présumé que c'était un genre de nénuphar ou une variété quelconque de plante aquatique qui poussait dans les rizières.

Mao les quitta pour se rendre à la réception.

Il en revint une loupe à la main.

— J'ai remarqué qu'il y a un point au milieu. Observez vous-mêmes.

Il plaça l'instrument au-dessus du cercle le plus grand.

— Ah ! En réalité, c'est un rond plus petit.

Il inspecta une à une les autres taches. Chacune portait la même marque.

— Savez-vous ce que c'est? le questionna Éva, intriguée.

— Non. Mais si vous me le permettez, je me ferai aider par mes collègues. Avez-vous un crayon et un papier pour que je reproduise le dessin?

Claude lui proposa de prendre l'aquarelle avec lui, mais Mao préférait une copie. Dans une cuisine, un dégât était vite arrivé.

Pendant qu'il traçait les cercles en apposant un petit rond au centre de chacun, il interrogea Éva sur la provenance de la peinture.

— C'est la fille d'un homme détenu en prison qui l'a vendue à mon mari.

— Vous parlez de Lok Thol. J'ai vu ça à la télévision.

— Oui, confirma-t-elle.

Une quinzaine de minutes plus tard, Mao revint avec une indication.

— Ce ne sont ni des plantes aquatiques ni des roches. On n'en tolérerait pas dans les rizières. J'ai montré le dessin aux gens de la cuisine, aux préposés au ménage des chambres et j'ai aussi consulté les gars à l'entretien. Tous ont finalement convenu de la même chose.

Il prit le temps de s'asseoir avant de daigner livrer la précieuse information.

— Alors, ça ne fait pas de doute, ce sont des mines antipersonnel. Un modèle américain courant. On en retrouve encore un peu partout, et surtout près de la zone frontalière qui nous sépare de la Thaïlande.

Éva, Claude et Jonathan échangèrent des regards complices. Ils percevaient une logique au travers de ces nouvelles données. Alice serait séquestrée quelque part, non loin de la Thaïlande, si on en jugeait par le drapeau, et là où étaient enfouies le plus grand nombre de ces mines antipersonnel : dans la zone frontalière.

— En passant, reprit Mao, et sans vouloir vous démoraliser, je dois vous signaler que notre frontière commune avec la Thaïlande est longue, au bas mot... de 800 kilomètres.

Un soupir de découragement s'échappa simultanément des bouches des Canadiens.

Avant que le serveur ne s'éloigne, Éva voulut savoir si beaucoup de gens s'appelaient Pram Pi, au Cambodge.

Mao se mit à rire comme un fou.

— Où êtes-vous allée chercher ça ?

Éva lui désigna la signature presque invisible tracée dans la cuisse de l'un des buffles. Elle avait inspecté le dessin à la loupe et elle l'avait découverte.

Le garçon lut à son tour :

— *Pram Pi…*

Nouveau fou rire.

Voyant que les autres ne partageaient pas son hilarité, il expliqua :

— *Pram* en khmer signifie "cinq", *pi*, "deux", et si on joint les deux, ça donne le chiffre sept. Je peux vous jurer que personne ne s'appelle "sept" au Cambodge !

Ils étaient abasourdis par les efforts d'Alice pour leur envoyer un message qui cachait trois indices : le drapeau de la Thaïlande, des mines antipersonnel et le chiffre sept.

— Pourquoi le chiffre sept ? demanda Jonathan, les coudes sur la table et la tête reposant dans la paume de ses mains.

Mao prit congé et les trois Occidentaux décidèrent de s'atteler à l'élucidation de cette dernière indication.

22

APPEL À L'AIDE

— Je suis prête, annonça Chan d'un ton ferme.

— Je t'écoute, lui assura Alice, curieuse de l'entendre.

— Si les paysans khmers utilisent la violence pour faire valoir leurs droits, les dirigeants des autres pays ne lèveront pas le petit doigt pour leur venir en aide. Et les membres du gouvernement du Cambodge vont applaudir, car ils pourront continuer à procéder aux expropriations sans être dérangés ou jugés par la communauté internationale.

Alice soupira. Enfin, Chan avait compris !

La jeune Québécoise avait l'impression de vivre les plus longues journées de toute sa vie. La veille, elle avait appris la mort de Sin. Lok Thol s'était effondré sous le coup de la nouvelle. Et aujourd'hui, Akara leur annonçait que le père de Chan n'était pas à l'hôpital, mais en prison et accusé du meurtre de Sin Sovath. C'était beaucoup trop d'émotions. Et elle devait garder la tête claire !

— Il nous reste à remonter dans le temps pour découvrir qui a infiltré le mouvement des paysans khmers, dit-elle à Chan. Cette personne les a incités, et même conditionnés à adopter une attitude agressive. J'en suis persuadée.

Son amie avait cessé de l'écouter. Son visage s'était de nouveau assombri.

— Je n'arrive pas à chasser de mon esprit le regard désespéré de mon père, murmura-t-elle. Personne ne peut lui prêter secours là où il est.

Alice mit ses mains sur les épaules de Chan et l'exhorta :

— Réfléchis. Qui a infiltré le mouvement des paysans ?

— Sourkea Sampham, répondit la Khmère en hoquetant. Je n'imagine personne d'autre que lui.

Alice lui confia que, depuis un moment, elle soupçonnait ce sinistre individu de jouer sur deux tableaux. Elle l'avait souvent espionné et avait remarqué ses beaux vêtements, ses manières particulières, sa voiture d'un modèle récent et de nombreux petits détails qui clochaient dans son environnement. Sourkea ne correspondait pas à l'image type du paysan cambodgien, du moins, à celle qu'elle s'était forgée en les observant durant de longues heures à travers le mur de sa hutte.

— Moi aussi, je l'ai vu souffler les mots à mon père qu'il savait malade, lui confirma Chan. Il l'incitait à secouer les hommes et à leur enfoncer ses vérités dans la tête. Personne ne devait le contredire. Pas question de peser le pour et le contre de leurs gestes en tenant compte des victimes. Comme pour ton enlèvement. Il ne fallait surtout pas se mettre dans ta peau. Et aussi, ne jamais prononcer ton prénom. On était censés t'appeler simplement "L'otage".

Alice comprit que l'endoctrinement faisait disparaître l'être humain ainsi que le reste du monde. Il ne laissait plus qu'un but à atteindre, rien d'autre. Et il forçait à donner sa vie pour lui.

— Ton père était parfait pour jouer le rôle de leader dans cette tragédie, déduisit-elle. Ses facultés intellectuelles étant affaiblies, il était heureux d'accomplir la volonté de celui qu'il croyait probablement juste et dévoué à la cause des paysans. Au fait, qui est ce Sourkea Sampham ?

— Un paysan.

— En es-tu sûre ?

— Non.

— L'as-tu déjà vu auparavant dans ton village?

— Non!

— Est-ce qu'une personne de ton entourage le connaissait?

— Non!

— Alors, il faut découvrir d'où il vient! Et les seuls qui sont en mesure de nous aider, ce sont mes parents. Maintenant que Sin est mort, on ne peut plus faire confiance à personne d'autre.

Ils étaient encore penchés sur l'aquarelle lorsque le cellulaire d'Éva retentit. Elle consulta sa montre, qui affichait 16 h 15. Il était trop tôt pour que ce soit la communication qu'elle attendait. D'un autre côté, son contact pouvait être en avance. Elle prit le parti de décrocher.

— J'ai eu votre numéro par l'hôtel, chuchota Chan.

Alice l'avait convaincue d'appeler elle-même, de peur que le téléphone de sa mère ne soit sur écoute.

— Je suis…, continua la Khmère.

Éva l'interrompit. C'était le sixième appel qu'elle recevait de journalistes qui sollicitaient une entrevue. C'en était trop! Elle ne perdrait pas une minute de plus. Et elle n'avait pas envie de vider la batterie de son appareil. Elle raccrocha.

Mao revint et il leur apprit que le personnel du restaurant tentait de résoudre l'énigme du dessin. Ils découvriraient bientôt la signification du chiffre sept. Quelqu'un avait eu une idée géniale et on était en train de la vérifier. Il s'interrompit et se précipita à la cuisine, car le gérant de l'hôtel s'approchait de la table.

Les Miron le saluèrent tandis que l'employé se penchait vers eux pour les informer qu'un certain Sourkea Sampham désirait les rencontrer.

— Très bien, nous l'attendons, accepta Claude.

Et, se tournant vers ses compagnons, il souligna que l'homme arrivait à point. Il verrait peut-être dans la peinture de nouveaux messages qui leur auraient échappé.

Éva était sceptique. Elle n'aimait pas cet individu. Ce que leur avait révélé le directeur de prison à son sujet l'incitait à réfléchir. Quelles étaient les véritables motivations de Sourkea Sampham ? Par contre, elle n'avait pas le choix d'en tirer le maximum dans l'intérêt de sa fille.

Avant qu'il n'arrive, elle résuma la situation :

— On doit se rappeler que Sourkea Sampham est l'homme qui a conduit Lok Thol à la prison. Lok Thol est à la tête des Forces paysannes khmères, et donc, le présumé ravisseur d'Alice. Il aurait assassiné Sin Sovath. De là, son incarcération. Toutefois, il ne faut pas oublier qu'il est aussi le père de Chan, la jeune fille qui nous a livré le dessin dans le but probable qu'on prenne connaissance des indices qui y sont semés. Bref, la situation est délicate.

Elle fut interrompue par la sonnerie de son cellulaire.

— Madame…

Exaspérée, elle ne laissa pas l'occasion à la femme qui parlait à l'autre bout de la ligne de prononcer une syllabe de plus. Elle l'avait reconnue, c'était la même que la fois précédente.

— Laissez-moi tranquille.

Elle déposa son téléphone sur la table. Sourkea arrivait lorsqu'il tinta de nouveau.

Impatiente, Éva décrocha en se promettant de sermonner son interlocutrice. Il fallait être effrontée pour insister avec autant d'acharnement.

— Frigidaire !

Ce mot prononcé rapidement la saisit. Seule Alice pouvait connaître la formule. C'était une plaisanterie entre elles, une sorte de code pour s'avertir mutuellement qu'il y avait quelque chose d'intéressant à regarder, le plus discrètement possible.

— Soyez naturelle, conseilla Chan. Quelqu'un a des choses à vous révéler. Attention, votre ligne est peut-être surveillée.

— Chère France, comme c'est gentil de m'appeler !

Kéo Sokha, le directeur de l'agence de détectives qu'ils avaient engagée, avait pris soin de faire effectuer les vérifications requises au cas où leur fille tenterait de leur téléphoner. Éva savait qu'il n'y avait rien à craindre de ce côté-là : son cellulaire n'était pas sur écoute.

— Tu ne peux pas imaginer à quel point nous sommes désespérés, débita lentement Éva. Alice est prisonnière depuis huit jours aujourd'hui.

— Très bien, glissa Chan, surprise par la rapidité d'esprit de la mère d'Alice. Je vous passe tout de suite votre fille.

Claude observait sa femme et se demandait quel était l'auteur de ce mystérieux coup de téléphone.

Éva éloigna le combiné de sa bouche pour l'aviser qu'il s'agissait de sa cousine France. Claude la pria de la saluer de sa part même s'il savait pertinemment que son épouse n'avait pas de parente de ce nom.

— Monsieur Sampham, bonjour, lança Éva en anglais, je termine mon appel et je suis à vous dans quelques instants. Attendez-moi avant de commencer la discussion!

Elle avait parlé assez fort pour qu'Alice l'entende.

— Maman, c'est de lui que je voulais te parler : Sourkea Sampham. C'est l'assassin de Sin Sovath! Lok Thol n'a rien fait. Sourkea est la personne derrière mon enlèvement. C'est lui qui a tout organisé. Il manipule les Forces paysannes khmères pour les discréditer… Oh! Maman, je ne peux pas tout t'expliquer…

Alice hésitait. Et si elle en avait trop dit? Quelqu'un d'autre avait peut-être suivi leur conversation.

— Je peux parler? C'est OK?

— Oui, merci de me téléphoner, France. Ça me fait du bien de t'entendre. On a quand même une bonne nouvelle. Lok Thol, le chef des ravisseurs, est en prison, et c'est grâce à un homme très courageux : un monsieur Sampham. Attends…

De nouveau, Éva éloigna son cellulaire juste assez pour qu'il reste à portée de voix. Après quoi, elle pria gentiment son mari d'enlever l'aquarelle de la table pour ne pas l'abîmer.

Jonathan avait déjà enregistré le mystérieux changement dans le comportement des parents d'Alice. Quelques minutes plus tôt, ils s'apprêtaient à discuter avec ce Sourkea des indications relevées dans le dessin et voilà qu'Éva le dissimulait, et que son mari se prêtait à ses désirs sans la questionner. À travers les mots d'Éva et l'incongruité des gestes de Claude, il devinait que quelque chose d'important se manigançait devant lui.

L'adolescent passa à l'action. Il se leva promptement, prit le dessin que Claude avait entrepris de rouler et déclara qu'avec tous les verres qu'on leur servirait bientôt, il serait plus en sécurité dans leur chambre. Il disparut aussitôt au pas de course.

Éva s'était éloignée afin de parler plus librement à sa fille, mais elle dut revenir vivement sur ses pas lorsqu'elle vit du coin de l'œil Mao s'approcher avec les consommations.

— Oh non! murmura-t-elle.

Il allait tout gâcher, elle en était convaincue. Elle en eut la confirmation à l'instant où il annonça en grande pompe qu'ils avaient trouvé la signification du chiffre sept dissimulé dans la peinture que la fille de Lok Thol leur avait vendue.

En l'entendant, Sourkea leva un sourcil tout en pianotant sur la table de sa main gauche.

Le serveur entreprit d'expliquer que les Khmers devaient aviser le gouvernement lorsqu'une mine antipersonnel explosait. On répertoriait minutieusement les accidents pour organiser les opérations de déminage. Et on s'occupait en priorité des sites où il y avait le plus d'incidents. Puisque le pays était truffé de ces engins, cela pouvait parfois prendre du temps.

Mais, au moins, cette obligation de divulgation était dans l'intérêt des paysans s'ils voulaient que leurs champs soient nettoyés. Aussi, dès qu'une mine explosait, quelqu'un avertissait les autorités.

L'un de ses confrères de travail avait téléphoné au numéro officiel prévu pour ces situations, et on lui avait dit que le septième jour de ce mois, soit seulement quelques jours plus tôt, une mine antipersonnel avait sauté près d'un village.

— Je vous ai transcrit son nom, conclut Mao avec orgueil. C'est là que votre fille est détenue, il n'y a aucun doute.

Il leur remit fièrement le papier et repartit à la cuisine. Jonathan, qui était revenu à temps pour entendre la nouvelle, lut le nom inscrit sur le papier avant que Claude ne le fourre dans sa poche. Son épouse tenait toujours le téléphone et semblait figée comme une statue de pierre.

Sourkea Sampham hocha la tête et déclara qu'il allait s'en occuper immédiatement. L'endroit serait fouillé de fond en comble. Après quoi, il leur rappela en insistant sur chaque mot que la dissimulation de preuves était passible d'une lourde sentence dans ce pays.

— Et, devinez quoi ? lança Mao en revenant sur ses pas. Ce village est situé non loin de la frontière thaïlandaise. Tous les indices concordent !

Déçu, il fixait son auditoire. Personne ne se réjouissait outre mesure de ses révélations.

Éva réfléchissait. Elle n'était pas certaine qu'Alice avait saisi toute la conversation. Elle dut choisir les mots appropriés :

— Écoute, France ! Il y a du nouveau ici. Il semble que nous ayons détecté dans une aquarelle une série de pistes importantes.

Elles permettront à ce monsieur Sampham, celui qui vient de nous rejoindre, de retrouver notre fille. N'est-ce pas une bonne nouvelle ? Maintenant, je dois te laisser. Merci d'avoir appelé et prends soin de toi.

Cette dernière phrase était chargée d'émotion.

Sourkea Sampham ne la lâchait pas des yeux.

— J'aimerais que vous me remettiez cette peinture.

Comme personne ne bougeait, il cracha entre ses dents :

— Tout de suite !

Pendant que Jonathan allait la chercher, Sourkea se demandait de quelle manière il se vengerait de Chan. Une chose était certaine : elle n'en sortirait pas vivante. Cette fille devait payer sa trahison de sa vie.

23

UN DANGER IMMINENT

Chan entra dans la hutte. Elle venait de rendre son cellulaire à Akara.

— J'ai inventé cent fois des moyens de m'enfuir d'ici et j'ai même déjà essayé…, lui avoua Alice.

— Je sais, et Sin t'a sauvée. Sinon, tu aurais sauté sur une mine.

Alice l'écoutait, décontenancée.

— Nous devons partir, et tout de suite! Sourkea va avertir ses hommes. Il donnera l'ordre de te tuer avant que les secours arrivent. Et moi aussi, je suis en danger. Sourkea est au courant que j'ai vendu la peinture à ton père. Il doit se douter que j'ai compris qu'il était l'assassin de Sin. C'est maintenant ou jamais. Empruntons la moto-cyclette d'Ary! Il laisse toujours la clé sur le contact. Et je te dénicherai un déguisement.

Elle sortit quelques minutes. À son retour, elle remonta les cheveux d'Alice, posa dessus un grand chapeau conique et dissimula tout le bas de son visage derrière un foulard.

Après quoi, elle l'obligea à revêtir une chemise propre.

Chan scruta les environs par les quatre ouvertures. Alice était surprise qu'elle connaisse l'existence de tous ses points d'observation. Rien ne semblait lui avoir échappé.

— Prends seulement ton portefeuille, ordonna Chan. Et on y va !

Elles avaient environ une heure devant elles avant que le soleil ne se couche. Il devait être aux alentours de 17 h 30.

Elles poussèrent la moto un moment sur la route, moteur éteint. Puis, elles l'enfourchèrent et la jeune Khmère démarra, mettant les gaz au maximum.

Alice retenait son chapeau d'une main, et de l'autre, elle s'accrochait à la taille de son amie. Tout se déroulait trop vite. Chan l'avait prise de court en imposant son plan d'évasion.

Éva tendit le dessin à Sourkea Sampham, qui le déroula aussitôt.

— On va retrouver l'endroit où votre enfant est détenue, assura-t-il d'un ton militaire. Mais ne vous faites pas d'illusions, ces gens n'ont pas de cœur. Ils sont haineux et sans pitié. Seuls leurs intérêts comptent. Votre fille est morte à l'heure qu'il est. C'est triste, mais vous devez vous faire à cette idée.

La mère d'Alice plaqua une serviette de table devant son visage pour feindre un profond abattement. En réalité, elle mordait le tissu à pleines dents pour ne pas hurler.

Claude se mouchait. Ses deux mains ainsi occupées ne se crisperaient pas en poings pour se lancer à toute volée sur le sourire grimaçant de ce menteur.

— Restez ici, articula Sourkea sèchement. Les hommes dehors veilleront à votre protection. Je communique tout de suite avec l'enquêteur chargé du dossier de votre fille. La police ira chercher son corps. Je ne veux personne d'autre dans le secteur. Compris ?

Il jeta un coup d'œil distrait à la peinture, puis la roula et la remit dans le tube de bambou. Tout en se levant, il glissa sa carte de visite sur la table.

— Monsieur…, tenta Claude pour le retenir.

Quand il fut parti, Jonathan se tourna vers Éva.

— Le téléphone… c'était bien Alice ?

Elle fit signe que oui, un sourire radieux sur les lèvres.

— Elle est vivante, murmura son père, bouleversé, tout en serrant d'une main l'épaule de Jonathan.

Éva leur rapporta mot pour mot la conversation. Lorsqu'elle eut terminé, l'adolescent exprima ses préoccupations :

— J'espère qu'elle prendra la fuite, tout de suite. Ce type m'a donné froid dans le dos. C'est sûr qu'il mijote quelque chose. Pourquoi on ne le fait pas arrêter ?

Claude jugeait aussi que Sourkea était une véritable vipère. Mais que pouvaient-ils faire contre lui ? Pour le moment, le seul témoignage pour l'incriminer était celui de leur fille et de sa compagne. Les policiers ? On ne savait pas de quel côté ils penchaient. Sourkea agissait peut-être de concert avec eux. Une fois Alice en sécurité, et à ce moment-là seulement, ils commenceraient à poser officiellement des questions.

— Le détective devrait nous revenir rapidement avec les informations que nous l'avons chargé d'obtenir, conclut Claude.

Jonathan leur rappela que Sourkea n'avait même pas cherché à savoir le nom du village où Alice était retenue prisonnière.

— C'est tout dire ! pesta-t-il. Il n'en a pas besoin, il le connaît déjà.

— Je sais, grogna Claude, hors de lui. J'espère que notre fille aura quitté cet endroit.

Le garçon ramassa la carte de Sourkea et l'examina tandis qu'Éva les invitait à la suivre dans sa chambre.

— Mao et ses collègues de travail ont identifié le village où Alice est détenue. Allons-y tout de suite! proposa Jonathan, tandis qu'ils longeaient le corridor. Elle y est peut-être encore.

Éva lui certifia qu'elle était déjà en fuite. Sa fille avait très bien compris qu'elle était en danger.

Malgré ces propos qui se voulaient rassurants, l'adolescent s'obstinait à tenter de les convaincre. Il s'immobilisa devant eux et les obligea à s'arrêter.

— Il faut y aller. Croyez-moi! Sinon, ils penseront que nous savons quelque chose.

Claude leva une main en l'air pour l'exhorter au calme, sans succès.

— S'il vous plaît, prenez le temps de considérer mon point de vue: c'est anormal qu'un parent ne cherche pas à rejoindre sa fille quand il sait qu'elle est en danger. Surtout, s'il connaît l'endroit où elle est prisonnière. En ne faisant rien, vous indiquez à Sourkea et à sa bande qu'Alice n'est plus là où ils l'ont laissée. C'est ça que vous voulez ? Qu'ils mettent leurs énergies à la traquer ailleurs ?

Éva hocha la tête. La réflexion de Jonathan était juste. Ils devaient au moins essayer de se rendre là où leur fille était séquestrée, même si les mercenaires de Sourkea les en empêchaient.

Les parents d'Alice montèrent dans un taxi. Claude montra le papier au chauffeur, car il n'arrivait pas à prononcer le nom du village qui y était inscrit et où leur fille était recluse.

La voiture démarra. Ils roulèrent un ou deux kilomètres avant que le conducteur n'arrête le véhicule. Claude jeta un coup d'œil par la vitre : ils étaient devant le commissariat. De toute évidence, Sourkea avait prévu qu'ils tenteraient de se rendre sur le lieu où était gardée l'otage. Un policier vint aussitôt ouvrir la portière et les invita à le suivre.

Il les conduisit dans une pièce où le mobilier se résumait à une table, des chaises plantées au beau milieu et un grand miroir fixé au mur. Éva et Claude furent surpris de constater qu'il s'agissait d'une salle d'interrogatoire.

Ils furent laissés seuls et durent patienter au moins une demi-heure avant qu'un représentant du gouvernement cambodgien finisse par se présenter.

— Excusez-moi, déclama-t-il en anglais. On vient à peine de me sommer de vous rencontrer. J'ai fait le plus vite que j'ai pu. J'arrivais juste à la maison, un souper de famille…

Il s'assit, sortit un grand mouchoir et essuya ses lunettes avant de sécher la sueur qui perlait sur son front dégarni.

Il les observa un moment, découragé.

— Ça ne me plaît pas trop, mais je dois faire mon travail. On m'a chargé de vous intimer l'ordre de cesser votre ingérence dans les enquêtes policières de ce pays.

— Je vous ferai remarquer, monsieur, articula péniblement Claude, qu'il s'agit de l'enlèvement de notre fille. Nous savons dans quel village elle est emprisonnée et nous désirons aller la chercher.

— Vous êtes…, commença le représentant du gouvernement en fouillant un dossier: Claude Miron!

D'un geste brusque, il referma le document. La table métallique résonna sous l'impact. Éva sursauta.

— Écoutez-moi, tous les deux : mêlez-vous de vos affaires. Nous… enquêtons !

Il s'excusa de parler si crûment. C'était qu'il avait d'autres chats à fouetter.

— Nous sommes au courant de vos agissements : vous voyagez à la campagne à la recherche d'une église et vous tombez sur la hutte où était séquestrée votre fille. Ensuite, vous visitez la prison de Siem Reap dans le but d'interroger le chef des FPK. Ah oui ! En passant, le directeur a été sermonné ; il n'avait pas à vous recevoir. Et, finalement, pour couronner le tout, vous dissimulez une peinture dans laquelle sont cachés des renseignements menant au repaire des kidnappeurs… Eh bien, c'est assez !

Éva était étonnée par le ton employé.

— Vous risquez de mettre la vie de votre fille en danger en y allant, conclut le fonctionnaire. S'il n'est pas déjà trop tard.

Il cria quelque chose en khmer et deux policiers les escortèrent jusqu'à leur taxi.

« Était-ce une menace voilée ? » s'interrogeait Claude en emboîtant docilement le pas aux deux hommes.

Lorsqu'ils arrivèrent à la Villa Apsara, ils aperçurent Jonathan assis dans le hall. Il observait leurs prétendus anges gardiens par la porte grande ouverte.

— Ça s'est passé comme prévu, l'informa Claude. Et tu avais bien jugé la situation. Nous devions agir. Sinon, ça aurait été suspect.

Les Miron se laissèrent tomber sur des sièges à côté de l'adolescent. Claude l'entoura de son bras. Pour le moment, il n'y avait rien d'autre à faire que de prier pour qu'Alice prenne les bonnes décisions.

24

LALIBERTÉ

Les deux fugitives avaient déjà parcouru un peu plus d'une vingtaine de kilomètres lorsqu'elles quittèrent la route goudronnée pour prendre un chemin secondaire. Après quelques mètres, Chan arrêta le véhicule, fit descendre sa passagère et poussa la moto derrière les arbres.

— Aide-moi. On va la recouvrir de branchages. Dans quelques jours, je ferai savoir à Ary où il peut la récupérer.

Tandis qu'elles s'affairaient, Alice s'enquit de la distance qui les séparait de Siem Reap.

— Environ une quarantaine de kilomètres, mais ce n'est pas là que je compte t'emmener. C'est trop dangereux !

La Khmère supposait que le gardien du temple de Ta Keo avait alerté les autorités. Maintenant, la police savait que la fille de Lok Thol avait été vue sur le site d'Angkor.

— Nous serions doublement en danger. C'est pour ça qu'il est impensable d'aller là-bas. En plus, la Villa Apsara est probablement surveillée comme une forteresse. J'ai un autre plan !

Alice haussa les épaules. Elle lui laissait endosser le rôle de leader.

Elles s'installèrent en bordure de la rue principale pour attendre l'autobus suivant.

— Cesse de jouer avec ton foulard et garde-le sur ton visage, grogna Chan, en voyant Alice tirer sans arrêt sur le tissu qui l'empêchait de respirer librement. Si des Khmers s'approchent, tu n'as qu'à tousser. Ils penseront que tu te couvres pour ne pas contaminer les autres.

— Mais on s'apercevra que mes membres sont blancs.

Son amie lui jeta un regard ironique.

Alors, Alice entreprit d'inspecter ses jambes, puis ses bras. Elle était grise, crasseuse, pleine de poussière et de saletés.

— S'il était toujours là, Sin Sovath te trouverait très drôle ! s'exclama Chan.

— J'avais oublié que son nom de famille était Sovath, glissa Alice pour éviter de reparler de sa mort.

— Le mien est Kem.

— Chan Kem. Ça sonne bien !

— Avant que la France ne gouverne le Cambodge, les Khmers n'avaient pas de nom de famille, seulement des prénoms. Ce sont les Français qui les ont obligés à en adopter un. Alors, les Cambodgiens en ont inventé.

— Si tu pouvais en choisir un nouveau aujourd'hui, lequel prendrais-tu?

— Liberté! Chan Liberté.

— C'est drôle, au Canada il y a des gens qui s'appellent "Laliberté".

Un autobus arriva sur ces entrefaites et Chan l'arrêta d'un signe de la main. Alice ajusta son foulard et son chapeau, et elles montèrent à bord. Une ambiance festive les accueillit. À l'arrière, un groupe de musiciens répétait des pièces du répertoire khmer.

Bientôt, la Canadienne eut la désagréable impression que tous les regards convergeaient vers elle. À plusieurs reprises, elle toussa. Rien n'y fit.

Elle se pencha vers son amie et murmura:

— Je crois que les gens me reconnaissent.

— Non, ce n'est pas ça. C'est autre chose.

— Quoi?

— Tu... tu dégages.

— Je *dégage*? Je dégage... quoi?

Elle avait parlé un peu plus fort en s'énervant.

— Tu pues, articula Chan à son oreille.

On ne lui avait encore jamais dit ça de toute sa vie. Elle empestait. Bien sûr qu'elle devait empester: elle ne s'était pas vraiment lavée depuis plus d'une semaine!

La Khmère s'amusait de la situation et Alice laissa échapper un petit ricanement sous son foulard:

— Je t'en devrai une!

Il faisait noir lorsqu'elles arrivèrent en vue d'Angkor. Elles descendirent du bus et marchèrent un peu, sans trop savoir où se diriger.

Alice ouvrit son portefeuille. Il était bien garni. Malgré les achats que Chan avait effectués pour elle, il contenait plus que les 60 dollars qu'elle avait en sa possession au moment de son enlèvement.

— J'ai ajouté ce que j'ai gagné sur le site en vendant les peintures, expliqua Chan. Tu crois que c'est suffisant pour se payer une chambre?

— Plus que suffisant!

Elles étaient en vue d'une maison où il était inscrit: *Rooms For Rent*.

— Vas-y, suggéra Alice. Je ne peux pas les interroger avec mon foulard sur le visage, et si je l'enlève, ils me reconnaîtront.

C'était un endroit pour les jeunes voyageurs. Ils louaient des chambres à 15 dollars et un petit restaurant servait des plats de riz et de nouilles.

Chan acquitta le prix d'une nuit et elle fit rapidement entrer sa compagne. Elle alluma : surprise ! Estomaquées, les deux filles découvrirent une salle de bain munie d'un lavabo et d'une douche. Et du savon, du shampoing, des serviettes… Le luxe !

Des larmes de bonheur coulaient le long des joues d'Alice.

25

LE RAPPORT DU DÉTECTIVE

Kéo Sokha était au bout du fil. Il leur livrait les premiers résultats de son enquête.

— Je vous avertis tout de suite : ce Sourkea Sampham est dangereux. Soyez très prudents ! Son frère a été condamné en août 2014 par un tribunal spécial chargé de juger les Khmers rouges pour leurs crimes commis entre le 17 avril 1975 et le 6 janvier 1979. C'est la période durant laquelle ils ont dirigé les affaires politiques du Cambodge. Sourkea Sampham était l'un des hommes qui attendaient de comparaître. Son nom a été effacé de la liste. On n'a pu découvrir ni comment ni pourquoi.

Le détective précisa que Sourkea Sampham était un employé du gouvernement du Cambodge. Des virements sur son compte en banque l'attestaient hors de tout doute.

Quant à l'assassinat de Sin Sovath, il avait appris que le cadavre portait des traces de lutte. Le médecin légiste lui avait confirmé plusieurs lésions aux bras et au torse. Et, sous les ongles du jeune homme, on avait relevé des tissus humains qui contenaient sans doute l'ADN de son agresseur. On procédait actuellement à des analyses.

C'était tout pour le moment. Il leur rappela qu'ils pouvaient en tout temps contacter l'agence. Son employé, Novann Rainsy, était aussi chargé du dossier.

Ils raccrochèrent et se rendirent au restaurant de l'hôtel pour souper. Ils y discutèrent sans relâche. Jonathan affichait ouvertement son mécontentement. Il finit le repas sans avoir réussi à convaincre les parents d'Alice de son point de vue. Il voulait que les policiers appréhendent immédiatement Sourkea Sampham et qu'on effectue un prélèvement de son ADN pour le comparer à celui trouvé sous les ongles de Sin Sovath.

Éva lui expliqua de nouveau que ce n'était pas possible.

— Souviens-toi des paroles d'Alice : "Sourkea Sampham est l'assassin de Sin Sovath! Lok Thol n'a rien fait. Sourkea est la personne derrière mon enlèvement." Penses-y : s'il est le responsable de sa séquestration, il est en mesure de la faire éliminer en un rien de temps. Non! Nous devons d'abord attendre qu'elle soit en sécurité avant d'intervenir et d'impliquer les autorités cambodgiennes.

Claude était du même avis : il fallait faire profil bas et ne prendre aucun risque. La libération de leur fille était l'objectif numéro un. L'arrestation des coupables passait au second plan.

Avant de quitter Jonathan, Éva émit une hypothèse :

— On sait que Sourkea travaille pour le gouvernement cambodgien. En cherchant à entacher la réputation des groupes de défense des paysans khmers dépossédés de leurs terres, il les prive de tout appui international. Il les isole en quelque sorte.

— C'est ce que vous a mentionné Alice, rétorqua l'adolescent en haussant les épaules : "Sourkea manipule les Forces paysannes khmères pour les discréditer." Ça ne signifie pas que tous les enquêteurs liés à la police sont compromis.

Claude fit face à Jonathan et l'exhorta à la patience.

— Calme-toi et écoute bien : le gouvernement paie Sourkea Sampham pour travailler dans l'illégalité. Sourkea n'est qu'un fonctionnaire, mais il a quand même conduit un homme en prison et il l'a interrogé.

Il lui suggéra de jeter un coup d'œil dehors, autour de l'entrée de la Villa Apsara :

aujourd'hui, un gardien sur deux était un agent de police. Du moins, il en portait le costume. Ces gens les surveillaient pour les empêcher d'enquêter sur le kidnapping d'Alice. Pour lui, cette évidence sautait aux yeux : ils travaillaient de pair avec le gouvernement et ils défendaient les mêmes intérêts. Seuls les médias pourraient faire cesser ce scandale.

— Quand ils dévoileront le complot au grand jour, l'opinion publique au Cambodge et ailleurs dans le monde fera pression pour que justice soit faite. Comprends-tu maintenant pourquoi il nous est impossible de suggérer quelque piste que ce soit aux forces de l'ordre ?

Sans attendre sa réponse, Claude se leva et suivit lentement Éva qui se dirigeait vers la réception.

Jonathan se retrouva seul à la table. Le discours des parents de son amie n'avait en rien ébranlé sa détermination. S'ils avaient été mis hors de combat, ce n'était pas son cas. Il estimait possible de traquer Sourkea sans placer Alice dans une situation plus dangereuse.

— Pas question de rester là, les bras croisés, à ne rien faire, marmonna-t-il en sortant la carte de visite de Sourkea Sampham.

Il la tourna entre ses doigts tout en réfléchissant. Quelle manœuvre pouvait-il imaginer pour berner ce meurtrier?

Il afficha un sourire en coin et s'empressa de se rendre dans le hall d'entrée pour emprunter le téléphone de la réception.

— Bonjour, monsieur Sampham. Je suis Jonathan Vigneault, l'ami d'Alice Miron. Nous nous sommes vus cet après-midi, à l'hôtel la Villa Apsara. Je vous appelle parce qu'on vient de me remettre un document de la part d'Alice. J'ai reconnu sa signature. Par contre, je n'ai aucune idée de ce dont il s'agit. Le texte à la fin duquel elle a apposé son nom est écrit en khmer. J'ai pensé que vous pourriez me le traduire. Je n'ai pas osé m'adresser à quelqu'un de la Villa Apsara pour ne pas nuire à l'enquête. Je...

Sourkea l'interrompit:

— Vous avez bien fait de m'appeler. Où êtes-vous? Je vais vous aider. Ne montrez la pièce à personne.

Jonathan consulta sa montre.

— Disons dans trois-quarts d'heure, devant l'entrée de l'hôpital provincial.

— D'accord.

L'établissement était situé tout près de leur hôtel. C'était un endroit passant et juste assez loin pour que les parents d'Alice ne puissent l'apercevoir.

L'adolescent exultait. En acceptant le rendez-vous, Sourkea Sampham confirmait qu'Alice était toujours vivante.

Il chercha Mao et le trouva à la cuisine. Le pauvre avait compris qu'il avait fait une gaffe et probablement mis Alice en danger de mort.

— Veux-tu m'aider?

Le Cambodgien se leva d'un bond. Il dénicha rapidement un tas de feuilles sur lesquelles étaient inscrites en khmer les recettes servies au restaurant. Jonathan les agrafa à cinq reprises méticuleusement l'une après l'autre. Ensuite, il les ouvrit à l'arrière avec un canif.

Quand on tenait le document à l'endroit, on ne pouvait pas remarquer la supercherie. Jonathan se hâta ensuite de téléphoner à Novann Rainsy, l'assistant du détective Kéo Sokha.

Le garçon se présenta comme l'ami d'Alice Miron. Sa demande concernait l'enquête qu'ils menaient pour Claude Miron, le père de l'otage. Par contre, ce serait un nouveau dossier. Leur conversation devait demeurer confidentielle.

— Je sais que le médecin légiste qui a pratiqué une autopsie sur le corps de Sin Sovath a décelé des traces de tissu humain sous ses ongles, lui expliqua-t-il. Je vous envoie sous peu par messager un échantillon du sang de Sourkea Sampham afin que vous puissiez comparer les deux ADN.

— Un sale type, ce Sourkea, fit remarquer Novann avant d'accepter le mandat.

Le jeune Québécois était heureux de ne pas avoir à lui exposer comment il comptait obtenir l'échantillon. Il nota l'adresse de l'agence à Phnom Penh.

— Je connais un laboratoire qui pourra procéder à l'analyse au cours de la nuit. Avec les nouvelles technologies, c'est très rapide, lui assura Novann.

Satisfait, Jonathan raccrocha. Il ne lui restait que peu de temps avant son rendez-vous.

26

JE SUIS MORTE

Chan avait proposé à Alice d'utiliser la douche la première tandis qu'elle irait chercher de quoi manger. La Québécoise ne s'était pas fait prier. Exceptionnellement, elle n'arrêta pas l'eau pendant qu'elle se savonnait. Elle se lava les cheveux trois fois, laissant couler le précieux liquide le long de son corps et savourant chaque seconde de cet instant de pur bonheur.

Elle passa aussi ses vêtements à l'eau en espérant qu'ils seraient secs le lendemain. Après quoi, elle s'enveloppa dans un drap de bain et rejoignit son amie.

Le repas refroidissait. Elles mangèrent en silence, puis Chan profita à son tour de la salle de bain.

Alice attrapa la télécommande et alluma le téléviseur. En changeant de chaîne, elle finit par tomber sur TV5. Le réseau offrait une programmation francophone en Asie. On annonçait en bas de l'écran qu'une émission spéciale sur l'enlèvement de la jeune Canadienne au Cambodge serait diffusée sous peu.

— Fais vite, on va parler de moi à la télévision ! cria-t-elle.

Le reportage commença en relatant l'historique de la prise d'otage et en rappelant les intérêts en cause.

Un journaliste ajouta quelques commentaires. Il était réputé pour ses nombreux articles relatifs au problème de l'expropriation massive des paysans khmers. Il précisa qu'à son avis, la Canadienne avait été kidnappée par erreur.

«N'aurait-on pas plutôt visé la célèbre archéologue américaine Jane Robinson ? Elle est d'ailleurs repartie vers les États-Unis le lendemain de la disparition de la jeune touriste, de peur d'être séquestrée à son tour.»

Puis, une photo d'Alice occupa tout l'écran. On distinguait bien son faux grain de beauté qui était en réalité une croix. Suivirent un cliché de la première hutte où elle avait été emprisonnée ainsi qu'un gros plan des deux traits dessinés au mur pour marquer les jours. La vidéo que les ravisseurs avaient envoyée aux médias le soir du troisième jour de sa détention fut ensuite transmise.

— Je suis pas mal photogénique, tu ne trouves pas ?

La jeune fille avait posé la question pour dissiper la gêne qui s'était glissée entre elles lorsque était apparue l'image la montrant en train de rire. C'était le moment où ils avaient lâché les chiots dans la pièce.

« Selon certains proches des autorités cambodgiennes, poursuivit le journaliste, l'otage a été exécutée par les membres des Forces paysannes khmères. Leur chef est actuellement en prison. Aucune cause ne peut justifier un tel acte criminel… »

Alice accusa le coup. On venait de la déclarer morte ! Quelle drôle de sensation !

Le reporter posa le majeur sur son oreille et annonça qu'il communiquait en direct avec les parents de la victime. Éva et Claude apparurent à l'écran. Leur regard exprimait plus de colère que de chagrin.

— Nous ne partageons pas ces conclusions concernant le décès de notre fille, déclara posément le père. Nous croirons à la mort d'Alice lorsque nous verrons son cadavre. Pour l'instant, les autorités refusent d'aborder cette question avec nous. Elles affirment qu'elles ignorent la provenance de cette information. Nous en sommes là !

Éva, à ses côtés, ne bronchait pas. Alice fut rassurée de voir ses parents si confiants.

Le reportage se poursuivit avec les commentaires de plusieurs spécialistes qui rappelaient les enlèvements les plus marquants des 20 dernières années. Leurs dénouements n'avaient pas toujours été heureux.

Alice éteignit le téléviseur.

— Tu avais raison, Chan, de nous emmener ici. Nous aurions fait une erreur en nous rendant à l'hôtel. Il doit être étroitement surveillé. S'ils annoncent ma mort, c'est qu'ils cherchent à tout prix à me tuer.

— À nous tuer, la corrigea la jeune Khmère.

L'émotion l'empêcha un moment de parler, puis elle ajouta:

— À supposer qu'on réussisse à s'en sortir, je pense que la bêtise de Sourkea servira la cause des paysans. Ils seront nombreux à comprendre que cet assassin utilisait mon père pour arriver à ses fins. Sourkea savait qu'il n'avait pas toute sa tête et il en profitait pour le manipuler à sa guise.

Alice acquiesça. Son amie traçait un portrait réaliste des événements. L'opinion internationale pourrait pencher en faveur des paysans si elles étaient là pour témoigner de ce qu'elles avaient vu.

— Si je survis à cette mésaventure, je te promets de faire une déclaration officielle. Je raconterai au monde entier votre misère. J'expliquerai que mon kidnapping a été un geste désespéré. Et que j'ai été bien traitée

– sauf quand l'une des ravisseurs m'a avisée que je puais – et que j'approuve votre lutte, sans toutefois accepter l'utilisation de la violence.

La Khmère l'entoura de ses bras.

— Merci, petite sœur ! Nous ferons très attention, et tu reverras ta famille et tes amis, j'en suis certaine.

Épuisées, elles se mirent au lit. Alice eut juste le temps de caresser l'oreiller et de tirer le drap au-dessus de ses épaules avant de plonger dans le sommeil.

27

L'EMBUSCADE

Heureusement que Jonathan avait eu la bonne idée de donner rendez-vous à Sourkea en face de l'hôpital parce que, devant l'hôtel, ils se seraient sûrement fait remarquer par le groupe de journalistes qui avait pris d'assaut la Villa Apsara, peu après son départ.

Les reporters étaient venus filmer Éva et Claude. Une source proche des forces policières leur avait affirmé qu'Alice avait été assassinée, tôt dans la matinée, par les paysans rebelles. Les parents de l'otage avaient tout de suite su que c'était faux: Éva avait parlé à sa fille l'après-midi même. Évidemment, elle n'en avait pas soufflé mot à la presse.

La rencontre de Jonathan et de Sourkea s'était déroulée comme prévu. L'adolescent l'avait égratigné à la main en lui tendant les feuilles et en les tirant ensuite brusquement vers lui. Il s'était excusé tout en sortant des mouchoirs en papier et en pestant contre cette agrafeuse qui ne fonctionnait qu'à moitié.

Sampham n'avait pas eu le temps de réagir que, déjà, le garçon avait épongé la plaie.

Jonathan avait conservé l'un des mouchoirs dans la paume de sa main, tandis que Sourkea, sur ses gardes, lui ordonnait de lui remettre la pièce ensanglantée qu'il tenait dans l'autre main.

Le Khmer avait craché par terre après avoir consulté le document. Il s'était probablement demandé si le Canadien l'avait berné intentionnellement. Mais Jonathan avait bien mené son jeu. Il avait plus l'air d'un imbécile que d'une personne qui tendait un piège.

— Elle est morte, cette fille, avait lâché l'odieux personnage avant de partir. Elle ne peut pas t'avoir envoyé ces papiers. Assez perdu de temps!

L'adolescent l'avait entendu murmurer:
— Idiot!

Une fois Sourkea hors de vue, Jonathan avait glissé l'échantillon dans un sac en plastique pour fourrer ensuite le tout dans une grande enveloppe adressée au détective Novann Rainsy. Un camionneur, un bon ami du chef cuisinier du restaurant de la Villa Apsara qui faisait la navette de nuit entre Siem Reap et Phnom Penh, l'avait livrée à l'agence de détectives.

À présent, il était 3 h 30, le lendemain matin. Jonathan n'avait pas encore fermé l'œil tant les derniers événements se bousculaient dans sa tête. Soudain, le téléphone posé sur la table de chevet à côté de son lit sonna. Il décrocha. C'était Novann qui lui indiquait avoir bien reçu le mouchoir imbibé de sang. Il obtiendrait les résultats sous peu.

Satisfait, Jonathan s'endormit enfin. Dans quelques heures, il saurait s'il y avait ou non un lien entre l'ADN de Sourkea Sampham et la mort de Sin Sovath.

28

LES DEUX NONNES BOUDDHISTES

Alice revêtit ses vêtements encore humides tandis que son amie partait chercher leur déjeuner. Heureusement, le restaurant voisin de la pension ouvrait tôt pour les visiteurs désireux d'admirer le lever de soleil sur le site archéologique d'Angkor.

La Khmère revint avec des bananes et deux généreuses portions de riz et d'œufs. Elles mangèrent en silence, appréhendant les problèmes qu'elles pourraient affronter au cours de la journée.

Lorsqu'elles furent sur le point de partir, Alice voulut connaître le plan de Chan.

— Nous allons au temple de Banteay Srei.

— D'accord. Je te fais confiance. Hier, tu as pris les bonnes décisions. Moi, je n'avais qu'une idée en tête: rejoindre à tout prix Jonathan et mes parents. Ce qui aurait été une grave erreur.

Alice avait conscience qu'elles ne seraient pas ici aujourd'hui, mais plutôt au fond d'un fossé dans un coin de campagne isolé, et qu'elles embrasseraient les crapauds, une balle logée en plein front, comme le pauvre Sin.

Il était à peine 6 h 30 lorsqu'elles arrivèrent en vue d'un lieu où vivait une grande communauté de nonnes bouddhistes. Chan expliqua qu'elle avait choisi de se rendre au temple de Banteay Srei parce qu'elle le savait à proximité de ce monastère.

Les deux fugitives avaient d'ailleurs vu plusieurs femmes occupées à recueillir des aumônes dans un bol qu'elles serraient contre elles.

Les jeunes filles s'immobilisèrent un instant pour admirer la belle bâtisse en tek. De grandes fenêtres ovales perçaient les murs du deuxième étage. Des robes roses allaient et venaient devant les ouvertures, tels des fantômes voilés.

En approchant, elles croisèrent un bouddha près de la porte d'entrée et Chan le salua, les paumes de ses mains jointes devant son cœur. En face de lui, des femmes étaient assises en tailleur.

D'un geste, la Khmère indiqua à Alice de l'attendre, après quoi elle sollicita une rencontre avec la personne responsable du monastère.

Pendant que la Québécoise observait les nonnes méditer, Chan fut conduite dans une pièce où une vieille nonne toute petite et rabougrie l'accueillit. La dame semblait flotter dans son vêtement rose. Une écharpe rouge-orange entourait son cou et tombait en longs pans jusqu'au sol. La nonne invita l'adolescente à s'asseoir devant elle sur une natte de bambou.

Chan lui raconta tout : la perte des terres, la souffrance et la folie de son père, la création des Forces paysannes khmères, l'enlèvement d'Alice, l'assassinat de Sin Sovath et le rôle joué par Sourkea Sampham dans toute cette affaire.

Elle insista sur le fait qu'un vent de violence risquait de s'élever à la suite de l'emprisonnement de son père. Aujourd'hui, Sampham allait consacrer toute son énergie à discréditer les revendications des paysans expropriés. Cette action constituait sa dernière chance. Il conduirait le peuple à commettre des actes irréparables.

Chan termina en l'implorant de les aider.

La vieille femme prit ses mains dans les siennes et lui proposa de passer quelques jours au monastère avec Alice, le temps qu'elle avertisse les parents de la Canadienne. Chan refusa. Elle connaissait suffisamment

Sourkea pour savoir que, s'il apprenait qu'elles se cachaient ici, il viendrait tuer chacune des sœurs avant de s'en prendre à elles. Et le monastère était un lieu trop isolé. Il restait un endroit vulnérable. Elle avait imaginé autre chose.

Quelques minutes plus tard, les deux adolescentes entrèrent dans une grande salle où des rangées de bouddhas s'alignaient le long des murs. Devant chacun d'eux étaient déposées des offrandes. Des bâtons d'encens brûlaient çà et là, dégageant des effluves envoûtants.

Chan traversa la pièce et s'agenouilla sur le sol en face d'une jeune nonne qui entreprit de lui couper les cheveux. On n'entendit plus que les «chlac, chlac, chlac» rythmés des ciseaux.

Éberluée, Alice observait les mèches éparses qui volaient un instant, puis tombaient sur un tissu écarlate. Elle se revoyait enfant, faisant un vœu avant de souffler sur les pistils des pissenlits.

Chan fut rasée de près et revêtue de la robe des nonnes. Elle était métamorphosée!

— À ton tour maintenant, dicta-t-elle, le visage impassible.

Alice hésitait. Elle tenait à ses cheveux. Elle aimait les brosser et les coiffer. Elle n'avait même jamais songé à les porter court, encore moins à se faire raser le crâne comme une boule de billard.

Cependant, elle devait admettre que c'était l'idée la plus brillante que son amie avait eue depuis qu'elle la connaissait.

Tandis qu'on s'occupait des deux jeunes filles, la vieille nonne s'entretenait avec quelques-unes de ses consœurs.

— Peut-on fermer les yeux? interrogea l'une d'elles. Faire comme si nous ne savions rien et laisser s'installer de nouveau la barbarie?

Chacune d'elles conservait des souvenirs atroces du règne des Khmers rouges.

Elles décidèrent d'intervenir et de prendre immédiatement la route pour le village où avait été détenue la Canadienne. Elles y seraient vers 9 h 30, assez tôt, espéraient-elles, pour calmer les esprits.

Quelques instants plus tard, les deux adolescentes marchaient côte à côte, méconnaissables et heureuses.

La nonne avait étendu sur le crâne et le visage d'Alice une épaisse crème d'un beige presque doré. Elle ressemblait dorénavant à une Cambodgienne. Par contre, la pommade lui piquait la peau. Elle faisait tous les efforts possibles pour ne pas se gratter par mégarde.

Elles empruntèrent un sentier qui longeait un boisé d'arbres géants. Autour d'elles, de grosses feuilles séchées tombaient sur le sol dans un bruit de porcelaine cassée.

— Qu'est-ce que vous faites quand vous méditez? voulut savoir Alice.

Elle avait longuement observé les nonnes tandis que Chan s'entretenait avec leur supérieure.

— Bien, on vide notre esprit de tout ce qui nous fait souffrir et on prononce des formules qui nourrissent l'embryon qui est en nous.

— J'en ai un, moi aussi... un embryon?

— Tu poses de drôles de questions, commenta Chan. Évidemment. Et, s'il est bien nourri, il grandit. Et lorsqu'on meurt, il se réincarne dans un autre corps. Et un autre "moi" fera la même chose... Et ainsi de suite.

— Tu te donnes naissance à toi-même!

— Oui. Je développe mon immortalité. C'est aussi simple que ça!

— Cool!

«Il n'y a pas juste un pays dans cette fille, mais un monde tout entier! Différent et fascinant!» pensa Alice.

Elle était presque heureuse. Il faisait beau. Le soleil traçait de larges rais de lumière entre les arbres. Et les oiseaux célébraient la journée en chantant, tandis que des singes se balançaient d'une branche à l'autre.

Elle voulut s'arrêter pour les regarder. Chan l'en empêcha.

— Les Khmers ne s'intéressent plus aux singes depuis longtemps. Seuls les étrangers y portent encore attention. Alors, si tu ne veux pas qu'on se fasse remarquer, continuons!

Des tuk-tuk avaient déjà déposé quelques visiteurs à l'entrée. Elles devaient se fier à leur instinct pour trouver un touriste en qui elles auraient confiance. Elles le chargeraient de contacter les parents d'Alice, le plus discrètement possible.

Elles arrivèrent enfin en vue du temple de Banteay Srei.

29

LE MATIN DU NEUVIÈME JOUR

— Il est rose! s'écria Alice en l'apercevant.

— Oui, c'est l'un des temples mythiques
d'Angkor. On le surnomme "la Citadelle des
femmes". Il date de la fin du Xe siècle.

La Khmère lui montra les pavillons bien
conservés de la cour intérieure. Ils étaient
gardés par des singes, avec leurs grimaces à
jamais fixées dans la pierre. Alice regrettait
de ne pas avoir avec elle son matériel de
dessin.

Partout, les façades étaient gravées de
motifs floraux et de gracieuses figurines
d'apsaras. Sur les linteaux des portes, des
scènes de la mythologie étaient sculptées en
dentelle.

Chan partit de son côté tandis qu'Alice
s'installa sur une pierre pour se reposer. Elle
aimait ce lieu mystérieux et insolite. Un
lézard sortit d'une fente du mur derrière elle,
la faisant sursauter. Il s'enfuit entre les racines
des arbres qui couraient sur le sol comme de
longs serpents.

La jeune fille ferma les yeux, chauffant son visage au soleil.

Ce serait aujourd'hui son neuvième jour de détention, si elle n'avait pas réussi à fuir. Elle gardait dans sa chair le souvenir douloureux de l'enfermement.

Pendant ce temps, à la Villa Apsara, Claude et Éva n'en pouvaient plus d'attendre. Ils étaient assis dans leur chambre, silencieux. Depuis le lever du jour, le nombre de gardiens avait doublé devant l'hôtel. C'était de pire en pire. Des hommes en uniforme de police ou habillés en civil restaient dans leur voiture à proximité de l'entrée. Lorsque les parents d'Alice avaient voulu s'éloigner de l'hôtel, ils avaient aussitôt été pris en filature. Comme s'ils étaient suspectés d'échafauder quelque chose.

Jonathan frappa à leur porte et leur donna rendez-vous au restaurant: le premier bulletin du matin serait diffusé sous peu.

Quelques kilomètres plus loin, le préposé à la réception du *bed and breakfast* qui avait accueilli les deux adolescentes la veille se mit aussi devant le téléviseur. L'émission d'information commençait.

On parlait de l'otage dont le corps n'avait pas été encore découvert. Le réceptionniste eut la surprise de voir apparaître à l'écran une photo de la jeune fille qui avait loué une chambre.

Il augmenta le niveau du son.

«Nous invitons le public à nous aider à retrouver Chan Kem, la fille de Lok Thol. Elle est soupçonnée d'avoir assassiné Ary Ol. Les empreintes digitales de la suspecte ont été relevées sur la moto de la victime. Le vol serait le mobile du crime...»

Un numéro de téléphone apparut en bas du communiqué. L'employé n'attendit pas la fin du reportage et appela aussitôt.

Claude et Jonathan venaient de reconnaître à la télévision le visage de la jeune fille qui leur avait vendu l'aquarelle. Elle se nommait Chan Kem. Alice et elle auraient donc pris la fuite ensemble, et en motocyclette. Évidemment, ils ne croyaient pas un seul mot de cette histoire de meurtre. C'était probablement une autre invention de Sourkea.

Jonathan se rendit dans sa chambre et ferma sa porte à clé avant de vérifier ses courriels. Novann lui avait écrit et il lui conseillait de l'appeler d'un téléphone public.

L'adolescent rejoignit discrètement Mao et s'en remit à lui.

— Peux-tu m'aider à sortir sans que les policiers qui se tiennent devant l'hôtel s'en aperçoivent?

— Bien sûr, suis-moi.

Ils traversèrent la cuisine et passèrent par une fenêtre qu'on utilisait normalement pour les livraisons. Une fois dehors, le serveur le conduisit à la petite porte d'un jardin qui menait à la maison voisine. Ils adoptèrent un stratagème identique, jusqu'à ce qu'ils débouchent dans la rue.

Jonathan trouva un téléphone dans une boutique.

— Tu avais vu juste. L'ADN décelé sous les ongles de Sin Sovath et sur le mouchoir appartient à la même personne. Ce Sourkea Sampham est probablement le meurtrier. J'ai un ami dans la police à qui j'ai donné une copie du rapport d'ADN de Sourkea. C'est OK?

— Oui, bien sûr!

— Il va le glisser dans le dossier d'enquête sur la mort de Sin Sovath. Ni vu ni connu. Et si tu veux, je peux aussi laisser filtrer discrètement les informations à des journalistes. Un courriel vite parti, vite arrivé! Plusieurs reporters seraient ravis de pouvoir écrire un article sur un employé du gouvernement qui infiltre un mouvement de paysans, assassine l'un des leurs et fait accuser leur chef du crime afin de l'envoyer en prison et, ainsi, d'étouffer les revendications légitimes des paysans.

Jonathan se confondit en remerciements avant de le quitter pour retourner à l'hôtel.

Il ne manquait qu'Alice. Mais où était-elle donc passée?

Sourkea Sampham se frottait les mains. Au cours de la nuit, il avait eu la bonne idée de demander aux médias de diffuser un portrait de Chan.

Ses employeurs le décrivaient comme un homme consciencieux qui veillait à documenter ses activités. Ils avaient raison. C'était d'ailleurs parce qu'il avait pris soin de faire photographier toutes les personnes impliquées dans l'enlèvement d'Alice Miron qu'il avait pu rendre publique la photo de la fille de Lok Thol.

Il possédait aussi un dossier détaillé sur tous les membres des FPK, incluant les empreintes digitales de chacun.

Et voilà que ses efforts étaient récompensés. On venait de le contacter pour l'informer que Chan Kem, accompagnée d'une jeune femme, avait logé dans un hôtel adjacent au temple de Banteay Srei. Elle devait sans doute s'y trouver encore maintenant, en compagnie de la Canadienne.

Sampham passa plusieurs appels. Ils seraient une vingtaine à les encercler. Sourkea avait engagé des mercenaires qui, contre un peu d'argent, acceptaient de faire ce qu'il souhaitait, sans poser de questions.

Ses hommes intercepteraient les deux filles et les conduiraient en lieu sûr. Et, cette fois, ils ne laisseraient pas de traces. Les corps des fugitives seraient ensevelis sous des mètres de terre.

Pendant le déroulement de cette opération, une autre de ses équipes se déploierait dans le dernier village habité par Lok Thol. Les mercenaires se feraient passer pour des paysans qui venaient soutenir leur lutte. Ils allaient chauffer les esprits. Crier vengeance.

Sourkea avait même réservé des autobus qui conduiraient les partisans des FPK à Siem Reap. Une fois à bord, on leur donnerait quelques armes et des bâtons… pour se défendre.

Déjà, un de ses hommes de main les attendait incognito en ville. Il tirerait le premier sur les paysans, provoquant un mouvement de panique qui dégénérerait en un bain de sang. Le problème de restitution des terres serait réglé une fois pour toutes. Le lendemain, plus personne dans ce pays n'oserait se déclarer membre des Forces paysannes khmères.

Alice réfléchissait à voix haute tout en admirant une apsara sculptée dans le mur.

— Le temple de Banteay Srei se nomme aussi la Citadelle des femmes, n'est-ce pas?

— Oui.

— C'est bizarre… Ça me rappelle quelque chose que j'ai lu concernant le saccage des ruines. On y mentionnait quelqu'un…

— André Malraux! s'exclama une voix derrière elles.

Surprises, les deux filles se retournèrent pour découvrir un homme assez jeune, barbu et aux cheveux longs. Ses vêtements étaient usés et poussiéreux. Malgré cette apparence un peu rebutante, il avait une bonne tête et

Alice sentit tout de suite qu'elle pourrait lui faire confiance.

— C'est un écrivain français, poursuivit l'inconnu avec un fort accent québécois. Il a volé un bas-relief dans ce temple en 1923. Il avait carrément scié la pièce. Grâce aux pressions du gouvernement du Cambodge, il a été obligé de la rendre. En passant, mon nom est Alex. Et toi ?

— Alice Miron.

Le touriste fut abasourdi par sa réponse. Il était devant l'otage qui occupait toute l'actualité !

— Au fait, tu n'es pas censée être morte ?

Alice lui raconta tout, puis conclut :

— Nous devons partir d'ici entourées de gens. Idéalement, des journalistes. Seule leur présence assurera notre protection. Sourkea et sa bande ne pourront pas s'en prendre à nous devant des témoins. Et ces bandits sont partout. On pense même que certains membres de la police sont de mèche avec eux. Je t'en supplie, parle à mes parents. Ils organiseront notre sortie du temple.

Alex comprenait la situation des deux filles. Elles n'avaient pas d'autre choix que d'attendre qu'on vienne leur porter secours.

Il accepta de se rendre à l'hôtel où logeaient les parents d'Alice. Il trouverait un moyen de leur apprendre discrètement qu'elles étaient ici.

— Fais très attention que personne ne sache où nous sommes, l'implora Chan. Sinon, on ne donnera pas cher de notre peau.

Avant de quitter le site, Alex alla prévenir sa compagne de voyage qu'il avait une course à faire à Siem Reap et qu'il serait de retour une heure plus tard environ.

Chan et Alice le regardèrent partir en se tenant par la main. Deux jeunes nonnes bouddhistes qui ressemblaient à s'y méprendre à deux sœurs.

30

CELUI QUI ATTEND

— Tu savais que *Thol* signifie "celui qui attend" ?

— Non… Mais c'est de bon augure. Ton père sera patient, ironisa Alice.

— Ha! Ha!

— Je suis fatiguée d'attendre, se plaignit néanmoins la jeune Québécoise. J'ai l'impression que les minutes restent coincées quelque part entre les secondes.

Des touristes serrés en tas suivaient des guides qui tenaient au-dessus de leurs têtes un drapeau de reconnaissance. Couleurs de Chine, de France, d'Allemagne, d'Italie, des États-Unis… Pour passer le temps, Alice se mit à tenter de deviner leurs origines. Enfant, elle avait reçu un jeu de cartes pour apprendre à les reconnaître.

Aux grappes de voyageurs se mêlaient quelques familles khmères avec des enfants plus enclins à s'amuser dans les ruines qu'à admirer les apsaras et les bas-reliefs.

De gros nuages noirs apparurent dans le ciel. Un vent humide se leva. Chan s'alarmait pour le fard appliqué sur le visage de son amie, qui pourrait fondre sous la pluie.

Puis, Alice nota des changements dans son environnement. Quelque chose ne tournait pas rond. D'abord, beaucoup de gens arrivaient par groupes de deux ou trois. Ils se concertaient et scrutaient les personnes autour d'eux. Une attitude qui aurait pu être normale, sauf que ce n'étaient que des hommes. Et, à leur mine, ils ne semblaient pas faire une excursion touristique.

La Khmère flaira aussi un danger, car elle les fit reculer de quelques pas de façon à ce qu'elles soient à demi dissimulées par un mur de pierre.

— Crois-tu que ces hommes sont ici pour nous traquer? souffla Alice.

Ses mains tremblaient. Comme si son corps lui signifiait qu'il ne voulait plus jamais être ligoté, enfermé, isolé.

— Courons! chuchota-t-elle.

Chan saisit son bras.

— J'ai vu Sourkea. Suis-moi.

Elle la guida vers une cour intérieure tout en appuyant la paume d'une main contre son visage. Alice imita son geste. Elles s'arrêtèrent devant une sculpture.

Sampham s'approchait de plus en plus près d'elles. Il montrait des photos aux visiteurs du temple. Bientôt, il tourna autour des fugitives, sans leur porter trop d'attention, jusqu'au moment où il leva la tête vers Alice. Elle ne pouvait s'empêcher de le fixer.

L'homme semblait réfléchir. La Québécoise ne bronchait pas, essayant d'avoir l'air le plus naturelle possible. Elle regrettait d'avoir cessé de contempler la sculpture. Chan avait maugréé lorsqu'elle l'avait vue se retourner. Il était trop tard maintenant. Elles devaient rester imperturbables. Un geste brusque pouvait tout gâcher.

Le cœur d'Alice se mit à battre à toute vitesse. La sueur commença à perler sur son front.

«Mon maquillage… Je ne dois pas avoir chaud!»

Elle avait beau se le répéter, rien n'y faisait. Sourkea la frôla en la fouillant du regard. Elle retint son souffle. Il était si près qu'elle sentait son odeur de fauve.

Il prononça quelques mots en khmer. Aussitôt, Chan bondit à ses côtés et se pencha vers les deux photos que l'homme tendait à Alice. C'étaient les leurs!

Tout en toussant et en mettant une main devant sa bouche, Chan affirma qu'elles ne connaissaient pas ces femmes. De l'autre main, elle pinça son amie de toutes ses forces pour qu'elle cesse de dévisager Sourkea.

Alice baissa enfin les yeux.

Elle l'entendit prononcer :

— *Orkun !*

Son cœur ralentit. Elle avait envie de crier à Chan de la lâcher. Elle se retint.

Les deux jeunes filles restèrent clouées sur place jusqu'à ce que Sourkea et ses troupes quittent les lieux. Quand ils disparurent, elles se laissèrent tomber par terre, épuisées moralement et physiquement.

Alice se questionnait : combien de temps allait-elle encore tenir le coup ?

Elle avait juste envie d'en finir. De se mettre à pleurer, à crier. Elle avait même pensé à emprunter un cellulaire et à téléphoner à ses parents. Pourtant, elle savait pertinemment que leur ligne devait être sur écoute.

Non, le mieux était de persévérer dans l'attente.

31

ALEX

Mao cherchait une chaîne d'informations sur le téléviseur du restaurant de la Villa Apsara. Éva, Jonathan et Claude étaient déjà attablés. L'horloge du mur marquait 10 heures.

Le silence tomba : on diffusait un reportage en direct du dernier village où Alice avait été retenue prisonnière. En voyant la hutte où sa fille avait vécu, Éva eut le cœur serré.

Le journaliste se tenait au cœur d'un rassemblement tumultueux. Il s'exprimait en khmer. Une traduction défilait dans la partie inférieure de l'écran. L'homme racontait que les paysans avaient l'intention de manifester dans l'après-midi devant la prison où était détenu Lok Thol à Siem Reap. Les autobus qu'on apercevait en arrière-plan les conduiraient en ville. Derrière le reporter, la foule scandait des slogans agressifs. La colère montait.

Subitement, la caméra zooma sur un groupe de cinq nonnes. Elles avaient le crâne rasé et étaient habillées de longues tuniques roses. L'une d'elles grimpa sur une charrette et requit le silence. Les gens se calmèrent et elle s'adressa à la foule paisiblement.

— Est-ce que la violence peut réellement vous sortir de la misère ? N'avez-vous pas en mémoire les atrocités commises par les Khmers rouges ? Désirez-vous léguer à vos enfants un héritage ensanglanté ? Reprenez-vous ! Retrouvez vos repères !

Elle fut interrompue par un homme qui lui cria de retourner dans son monastère. Ce qui se passait ici ne la concernait pas. Les quelques personnes qui entouraient l'individu l'appuyèrent, mais il fut hué par le reste de la foule.

Un paysan grimpa à côté de la nonne, et s'adressa à celui qui était intervenu et à ses amis :

— Vous n'habitez pas ce village. Ici, ces femmes sont respectées. Leur mission est de nous aider et non de nous nuire. Laissez-les parler.

Entre-temps, une autre nonne était montée sur la charrette pour rejoindre la première. Elle livra à son tour un message à la foule :

— Celui qui est en prison n'est peut-être pas celui qui devrait y être. Vous l'avez connu. Vous le respectiez et vous aviez confiance en lui. Lok Thol était l'un de vos amis. Aurait-il réellement été capable de commettre un meurtre ?

«Comment peuvent-elles savoir que Lok Thol n'est pas responsable de l'assassinat de Sin Sovath ?» s'interrogea Éva en écoutant le discours.

— Posez-vous la question : avait-il changé au cours des derniers mois ? Était-il réellement celui qui vous dirigeait ?

Claude jeta un coup d'œil à sa femme et lui murmura :

— D'où viennent-elles ?

Un jeune touriste venait d'entrer dans le restaurant. Peu de téléspectateurs l'avaient remarqué tant ils étaient tous fascinés par les images qui défilaient à l'écran.

Le nouveau venu resta un moment immobile, observant les femmes bouddhistes. Elles portaient le même costume qu'Alice et son amie khmère. Alex comprit que ce n'était pas un hasard si ces nonnes s'étaient rendues là-bas.

L'information qui défilait en bas de l'écran lui confirma le lien qu'il avait établi : *Update – Canadian tourist kidnapping*[1].

---

1. «Dernière minute – Enlèvement de la touriste canadienne.»

Il s'installa à une table et attrapa le menu posé sur celle d'à côté.

— Est-ce que j'invite l'homme qui vous talonne à se joindre à vous ? ironisa le serveur en anglais, tout en désignant du menton le Khmer qui s'était assis à la table voisine, sans lâcher Alex des yeux.

Mao ajouta à voix basse que les parents de l'otage, Alice Miron, séjournaient dans l'hôtel, d'où la présence de présumés «anges gardiens».

— Il me suit depuis une vingtaine de minutes, marmonna le Québécois dans la même langue.

On l'avait pris en filature dès sa sortie d'Angkor. Un inconnu lui avait tendu deux photos: l'une d'Alice et l'autre de la jeune Khmère qui l'accompagnait. Il lui avait demandé s'il avait aperçu ces filles au cours des dernières heures. Alex avait bien sûr répondu non. Cependant, il avait gardé un peu trop longtemps la photo de sa compatriote entre ses mains. En fait, il était fasciné de la voir avec de longs cheveux noirs. Elle était si différente. Ce délai avait semé un doute dans l'esprit de l'individu. Et, depuis, il ne l'avait pas lâché d'une semelle.

Alex avait flâné dans les rues, s'était arrêté boire un café, avait visité les échoppes de souvenirs en espérant que le type renoncerait à le suivre. Rien n'y fit, l'homme s'entêtait. Finalement, Alex avait dû se résoudre à se rendre à la Villa Apsara. Son amie Karine l'attendait sur le site archéologique. Il ne pouvait la faire patienter plus longtemps.

S'il avait imaginé que ça se passerait comme ça, il aurait refusé d'aider les deux fugitives. Son visa pour le Cambodge était expiré et, si on réclamait ses papiers, il aurait certainement des ennuis. Il ne pouvait pas prendre le risque d'être interrogé par la police.

Alex observa son poursuivant qui ne l'avait toujours pas quitté des yeux. À cet instant, il eut envie de partir sur-le-champ. Personne n'en saurait rien. De toute façon, ces nonnes bouddhistes qui tentaient de calmer les paysans allaient, sans le vouloir, mettre la puce à l'oreille des ravisseurs de la fille. Ces derniers comprendraient vite que ce n'était pas le fruit du hasard si elles prêchaient dans le village où, justement, Alice Miron avait été détenue prisonnière. Et il n'y avait probablement pas des centaines de monastères de nonnes bouddhistes dans cette région du Cambodge.

Le Québécois se leva, déterminé à s'en laver les mains. Il s'était éloigné d'à peine quelques mètres lorsque son ange gardien lui emboîta le pas. Alex se retourna et l'affronta. L'homme lui sourit d'un air narquois.

« Vais-je vraiment manquer à ma parole ? Laisser tomber Alice, après tout ce qu'elle a vécu ? »

Le Khmer n'avait pas bougé. Il tâchait de prendre une attitude supérieure, sans succès. Il cherchait à l'effrayer, à le dominer pour lui faire perdre contenance et le plier à sa guise. Non ! Il ne lui donnerait pas raison. Il tiendrait parole.

Alex se rassit et saisit le menu tout en attirant l'attention du serveur.

Le jeune homme pointa du doigt le mot LISTEN contenu dans la citation « Restez calme et écoutez de la musique » inscrite sur la page du menu :

KEEP CALM
and just
LISTEN TO MUSIC !

Mao se pencha et vit le petit papier qu'Alex tenait caché sous son pouce et qu'il découvrait partiellement. Il y était écrit en anglais : *Angkor, nuns…* Alex allait faire glisser la note pour que le serveur puisse déchiffrer la suite quand l'homme attablé à côté bondit de sa chaise et les rejoignit. Il suspectait quelque chose.

Alex ferma la paume de sa main sur le papier, tout en se renseignant, comme si de rien n'était, sur le menu du jour.

Rassuré, l'inconnu se rassit. Profitant de la seconde où il avait le dos tourné, Alex prononça rapidement en français les mots : *la Voie royale*.

En relevant la tête, le serveur croisa le regard méfiant de l'ange gardien qui tentait de répéter :

— La voi roi ia…

« Cet homme est doté d'une très bonne ouïe. Heureusement que j'ai parlé en français et que je n'ai pas mentionné le nom du temple de Banteay Srei. »

Entre-temps, Mao s'était retourné vers lui. Son regard montrait qu'il avait bien saisi le message.

— Ce n'est pas l'équivalent d'un vol-au-vent. Je sais de quoi vous parlez. C'est de la cuisine française… un plat accompagné d'un légume spécial, expliqua-t-il en anglais. Mais nous n'en avons pas. Aussi, je vous conseille ceci…

Il se pencha vers Alex en désignant une ligne au hasard dans le menu.

— Nous avons aussi toute une variété de plats indiens. Je dois vous préciser que nous facturons un supplément pour le riz, le nan ou les pommes de terre.

— C'est trop cher! s'indigna Alex.

Il quitta la table en bafouillant qu'il trouverait un restaurant aux prix raisonnables.

32

QUI SONT CES FEMMES ?

Sourkea Sampham avait le regard rivé sur le téléviseur. Il s'était empressé de l'allumer pour ne pas manquer le dernier bulletin d'informations. Et voilà qu'il tombait sur cette bombe : des nonnes bouddhistes faisaient la morale aux paysans et les exhortaient au calme ! Ces femmes risquaient de mettre ses plans en danger.

« Mais, pourquoi sont-elles là ? Comment... »

Son téléphone sonna, interrompant ses pensées. Il savait qui l'appelait. C'était son supérieur immédiat. Il ne cessait de le harceler pour s'assurer qu'il avait retrouvé Alice Miron et Chan Kem. Il s'acharnait à lui poser les mêmes questions :

— Pouvez-vous m'expliquer pourquoi personne n'a empêché la fille de Lok Thol de se promener à Angkor pour vendre des dessins exécutés par l'otage ?

Ou encore :

— Ne vous est-il pas venu à l'idée d'enterrer le corps de Sin Sovath au lieu de le jeter dans un fossé ?

Le pire, c'était cette phrase assassine :

— Êtes-vous bien certain d'avoir la situation en main ?

Si son chef le laissait travailler en paix, il aurait le temps de retrouver les deux filles. Mais toutes ces questions l'empêchaient de réfléchir.

Pourtant, il avait besoin de se concentrer pour comprendre. Ces nonnes, d'où venaient-elles ? Comment avaient-elles su que ses mercenaires se rendaient dans ce village ? Leurs propos concernant Lok Thol étaient aussi étranges. Comme si elles connaissaient sa maladie et l'influence que Sourkea exerçait sur lui. Elles devaient avoir parlé à Chan. Il n'y avait pas d'autre explication.

Il décida de dresser une liste des monastères de femmes bouddhistes du Cambodge. Lorsqu'elle fut achevée, il la relut plusieurs fois. Il n'était toujours pas satisfait. Rien n'indiquait qu'il y avait un monastère dans les environs d'Angkor. Il oubliait quelque chose.

L'image des deux jeunes nonnes à qui il s'était adressé au temple de Banteay Srei lui revint subitement en mémoire. L'une d'elles agissait étrangement. Elle le dévisageait constamment. C'était une attitude contraire à leurs valeurs. Et, lorsqu'il lui avait parlé, sa compagne s'était précipitée à son secours.

Un mauvais pressentiment l'envahit, accompagné de la honte d'être passé à côté de quelque chose d'important. Il chassa aussitôt cette idée en espérant vraiment qu'il se trompait.

Sourkea reporta son attention sur les noms alignés sur le papier : aucun monastère n'existait aux environs de Banteay Srei. À moins que…

Il dénicha rapidement le numéro de téléphone du monastère de Phnom Penh. On lui confirma que des nonnes s'étaient installées à proximité du temple.

— Il faut retourner à Angkor, rugit-il en sortant de son bureau.

Il respirait à peine tellement il était hors de lui.

Il réunit tous les hommes qu'il rencontra et leur demanda de faire suivre le message le plus vite possible aux autres.

— Les fugitives sont déguisées en nonnes. Elles ont été aidées par le monastère qui jouxte le temple de Banteay Srei. Que tous les effectifs se rendent là-bas. Elles ne nous échapperont pas une deuxième fois !

Il souffla un peu et poursuivit :

— Et voyez à ce que les chauffeurs de taxis et de tuk-tuk stationnés près de l'hôtel la Villa Apsara soient remplacés par nos hommes. Je crains que les parents d'Alice Miron ne découvrent le lieu où se cache leur fille et mettent tout en œuvre pour la rejoindre. Ce reportage sur les nonnes ne me plaît pas du tout!

Ils s'étaient une fois de plus réunis dans la chambre d'Éva et de Claude. Jonathan avait invité Mao à se joindre à eux. Pendant ce temps, le gérant de l'hôtel assurait le service du restaurant.

— "La Voie royale", ce sont bien ses mots, leur confirma Mao.

Il leur précisa que l'étrange client avait parlé anglais sauf pour prononcer «La Voie royale».

Claude tournait le problème dans sa tête. Il revoyait les grandes entrées de la cité d'Angkor. Laquelle pouvait être désignée comme «la Voie royale»? Serait-ce la Chaussée des géants avec tous ses portails magnifiques qui ouvraient sur les temples?

— Une chose est sûre, reprit Mao, "la Voie royale" désigne un endroit situé quelque part sur le site d'Angkor. C'est ce qui était inscrit sur le papier : *Angkor* et *nonnes*. Le seul problème, c'est que le site est immense.

Entre-temps, Jonathan avait saisi l'ordinateur et écrit dans le moteur de recherche : *Voie royale, Cambodge*.

Le premier résultat affiché fut un lien qui menait au site de Wikipédia.

— Écoutez ça : "*La Voie royale* est un roman d'André Malraux paru en 1930..." Bla-bla-bla... "Parti au Cambodge en 1923, l'écrivain est arrêté et condamné à la prison pour avoir tenté de s'emparer de bas-reliefs du temple de Banteay Srei à Angkor."

— Ce qui nous conduit au temple de Banteay Srei à Angkor, déduisit Claude en s'exprimant en anglais pour Mao.

— J'aurais dû y penser, regretta Éva. J'ai étudié ce livre à l'école. André Malraux y raconte cet épisode de sa vie.

— Euh..., commença le serveur, tout en se demandant s'il devait ou non donner son opinion.

— Oui ? l'encouragea Claude.

— Un nouveau monastère bouddhiste est situé tout près de Banteay Srei. Et le mot *nonne* figurait sur le papier, rappelez-vous. En plus, on a vu ces femmes dans le reportage télévisé tourné au village où votre fille a été séquestrée. Le lien est clair : Alice leur a parlé.

Éva, Claude et Jonathan comprirent aussitôt qu'il avait raison. La jeune fille était là-bas et ils devaient s'y rendre immédiatement.

— Le temple de Banteay Srei est à une vingtaine de kilomètres d'ici, précisa Mao.

Tout en laçant ses souliers de course, Éva demanda au serveur de contacter le plus grand nombre possible de journalistes et de leur dire de les rejoindre au temple de Banteay Srei.

— Ils doivent filmer Alice quand elle quittera l'endroit. C'est la meilleure façon d'empêcher Sourkea et son armée de lui faire du mal.

— Comment pouvons-nous sortir de l'hôtel, avec tous ces gens qui gardent l'entrée ? interrogea Claude.

— Je sais comment, les rassura Jonathan en souriant à Mao. Suivez-moi ! D'ailleurs, je vous accompagne.

Ce n'était pas le moment de discuter. Ils s'engouffrèrent dans la cuisine et l'adolescent les guida d'une cour à l'autre, comme le lui avait enseigné Mao.

Ils atteignirent finalement la rue où quelques taxis attendaient les clients.

— Nous en prenons chacun un, décida Claude. J'y vais en premier. Je demande au chauffeur de rouler droit devant lui sur 500 mètres avant de lui mentionner mon lieu de destination. Toi, Jonathan, tu lui dis de tourner à droite, et de la même façon, tu évalues un demi-kilomètre, puis tu lui donnes le nom du temple. Et tu auras compris, Éva, que tu prends la rue de gauche.

C'était une bonne stratégie. Ils se donnaient ainsi trois fois plus de chances que l'un d'eux atteigne les lieux.

Pendant ce temps, Mao, aidé du personnel de l'hôtel, allait faire en sorte que les gardiens aient l'illusion que les trois Canadiens occupaient toujours leurs chambres. L'un des préposés au ménage eut l'idée de porter un plateau de nourriture dans la chambre des Miron, tandis qu'un autre s'appuyait nonchalamment contre le cadre de la porte de celle de Jonathan en simulant une conversation passionnante.

Les gardiens n'y virent que du feu. Ils continuèrent leur ronde normalement.

Mao entreprit alors de communiquer avec les journalistes. Un de ses amis travaillait pour une entreprise de relations publiques, ce qui lui simplifia le travail.

Le jeune Khmer espérait seulement que Jonathan et les parents d'Alice arriveraient à temps pour protéger la jeune fille.

Alex avait marché promptement et, malgré tout, il était toujours suivi. Il sortit son cellulaire et appela Karine. Elle répondit aussitôt :

— Ça t'en prend, du temps ! J'ai fini de visiter le temple il y a un bon moment. Tu me rejoins ?

— Oui, ne t'inquiète pas ! Je serai là dans une vingtaine de minutes. J'ai besoin d'un petit service : tu te souviens des deux jeunes bouddhistes avec qui je jasais tout à l'heure ? Va leur dire que le message a été transmis, mais que leurs costumes seront bientôt inutiles. Il y a des nonnes à la télé qui parlent un peu trop.

— Tu es sérieux ?

— Absolument.

— OK ! Mais fais vite !

Alex jeta un coup d'œil à l'individu derrière lui. Il le vit enfouir son téléphone dans sa poche et sauter dans un tuk-tuk. Interloqué, il s'interrogeait sur ce qui avait pu se produire pour engendrer ce changement de garde. L'homme disparut et Alex fit le tour du pâté de maisons tout en restant à l'affût. Quelqu'un d'autre viendrait peut-être prendre sa place. Au bout de quelques minutes, il dut convenir qu'il n'en serait rien.

Alors, il héla un tuk-tuk.

— Combien... pour se rendre au temple de Banteay Srei?

Il écouta la réponse du chauffeur et, exceptionnellement, il ne négocia pas le prix.

Ils roulaient depuis un moment quand Alex constata qu'un grand nombre de voitures, de camions, de taxis se dirigeaient dans le même sens que lui, transportant jusqu'à cinq hommes à la fois. Plusieurs d'entre eux tenaient des bâtons. Il comprit: ils se rendaient tous à Banteay Srei. Alice et Chan étaient en péril. Il implora le chauffeur d'accélérer et de le conduire au monastère bouddhiste plutôt qu'au temple. Il avait changé d'idée.

— Quelqu'un est en danger, se justifia-t-il d'une voix tremblante.

— Ma sœur est nonne et elle réside là-bas! s'exclama le chauffeur, tout en ralentissant son véhicule.

Malgré les protestations d'Alex, le conducteur rangea son tuk-tuk au bord de la route et il sortit son cellulaire.

— Je dois absolument avertir un membre de la communauté, intervint le jeune Canadien, furieux de se voir ainsi immobilisé.

Le Khmer le pria de patienter :

— J'appelle le monastère.

Il se présenta comme le frère d'une des nonnes. Il était chauffeur et son client désirait absolument s'entretenir avec l'une d'entre elles. Comme la femme à qui il s'adressait parlait anglais, il tendit le téléphone à son client.

Les deux taxis dans lesquels Éva et Claude avaient pris place s'étaient arrêtés peu de temps après avoir pris la route. Leurs chauffeurs les avaient sermonnés : on assurait leur protection en les priant de rester à leur hôtel. Après quoi, ils les avaient reconduits à la Villa Apsara.

Le véhicule qui transportait Jonathan s'était aussi immobilisé. Le conducteur s'apprêtait à faire demi-tour lorsque, par hasard, il avait aperçu une amie près d'un kiosque de fruits et légumes. Après avoir ordonné à son passager de ne pas bouger, il était sorti du taxi pour la saluer.

Le jeune Québécois avait observé un moment le couple bavarder. Il avait noté que la clé était restée insérée dans le contact. Il avait jeté de nouveau un coup d'œil au chauffeur, puis avait sauté sur le siège avant et démarré à toute vitesse tout en regardant l'homme faire un sprint derrière sa voiture. Jonathan l'avait semé rapidement, et avait ensuite ralenti pour éviter de se faire arrêter par la police.

Il s'était informé auprès de plusieurs passants de la direction à suivre pour rejoindre le temple, jusqu'à ce qu'il en trouve un qui parle anglais. Après lui avoir indiqué l'itinéraire, la personne qui l'avait renseigné avait froncé les sourcils et déclaré qu'il semblait un peu jeune pour conduire un taxi. Au Cambodge, on ne pouvait pas obtenir un permis de conduire avant l'âge de 18 ans.

— C'est une question de vie ou de mort, avait rétorqué Jonathan en poursuivant sa route.

33

TRAQUÉES

Alice et Chan venaient d'apprendre par l'amie d'Alex qu'une menace imminente pesait sur elles : Sourkea savait probablement qu'elles s'étaient déguisées en nonnes. Elles étaient sous le choc.

Par où s'enfuir ? Elles étaient fatiguées, épuisées. La faim et la soif les tenaillaient. Tous leurs espoirs s'envolaient. Elles étaient pourtant si près du but ! Le pire était d'admettre que toute l'énergie qu'elles avaient mise pour se rendre jusque-là n'avait servi à rien.

Alice se mit à pleurer.

— Arrête, ordonna son amie, et tout de suite ! Si ton maquillage fond, tu aggraveras vraiment la situation.

Elle hoqueta et acquiesça de la tête. Seulement, elle ne croyait plus en rien. Habillées ainsi et le crâne rasé, elles seraient identifiées très rapidement.

Où pouvaient-elles trouver un autre costume ?

Retourner au monastère était impensable. Il serait fouillé de fond en comble par Sourkea et ses hommes. De toute façon, ce n'était pas là qu'elles se procureraient des perruques.

L'espoir de sortir de ce cauchemar s'était évanoui. Combien de temps pourraient-elles se cacher encore? Le décompte se ferait en minutes plus qu'en heures. À moins que Jonathan, Éva et Claude n'interviennent à temps. Par contre, leur incursion risquait de mettre leur vie en danger. Sourkea les tuerait sans hésitation.

Comme des automates, les deux fugitives se dirigèrent vers le bois situé derrière le temple. Il fallait surtout éviter d'emprunter la route principale.

Elles marchèrent silencieusement jusqu'à ce qu'elles perçoivent des sons répétitifs. On fouettait quelque chose. Elles avancèrent prudemment, en se baissant, et elles aperçurent au loin une rangée d'hommes armés de bâtons. Ils frappaient sur tout ce qu'ils rencontraient devant eux en convergeant vers Banteay Srei.

— Ils arrivent! sanglota Alice. Ils sont tout près…

On faisait une battue, comme pour traquer les bêtes sauvages.

Affolées, elles repartirent à demi courbées en courant le plus vite possible vers le temple. En approchant, elles entendirent des voix qui sommaient les visiteurs de quitter les lieux. Les nonnes devaient rester sur place.

Tremblantes, elles se glissèrent dans l'enceinte de Banteay Srei pour s'y cacher. Elles n'avaient aucune chance. Elles gagnaient seulement un peu de temps.

Les minutes passaient. Lourdes. Plus un mot n'était prononcé. Seuls les croassements des corneilles qui occupaient les arbres voisins déchiraient un silence de mort.

Peu à peu, leurs assaillants réduisaient la distance qui les séparait des jeunes filles. Bientôt, elles se retrouveraient entre leurs mains.

Accroupies derrière les pierres, Alice et Chan se regardaient. La fin de leur histoire approchait. Aux bruissements des pas, elles savaient qu'ils achevaient d'encercler le temple. Ils étaient tout près.

Jonathan arriva à Banteay Srei alors qu'un flot de visiteurs en sortait. Parmi eux, il reconnut Alex.

— Je n'ai pas réussi à me rendre au temple, lui avoua ce dernier.

Il paraissait nerveux et inquiet.

— Leur chef... quelqu'un l'a appelé Sourkea, a ordonné aux gardiens de voir à ce que tous les touristes quittent les lieux. Seules les nonnes ont l'obligation de rester sur place.

Jonathan se gratta la tête. Il fallait trouver une solution. Et vite!

— Nous avons besoin de témoins. C'est la seule façon d'éviter qu'Alice et Chan soient tuées. Trouve quelqu'un qui parle le khmer et qui comprend l'anglais. Je veux qu'il informe les Cambodgiens qu'un spectacle gratuit sera présenté sous peu à Banteay Srei. Et toi, avise les anglophones et les francophones. Je vais t'aider. On doit renvoyer tout le monde à l'intérieur.

— L'idée est bonne, mais où trouveras-tu les artistes?

— Ne t'inquiète pas...

Jonathan se glissa alors dans la peau de Radamès, un personnage d'*Aïda* de Verdi. Il entonna un extrait du premier acte de l'opéra, celui où Radamès clame qu'il souhaite devenir le chef de l'armée égyptienne pour arrêter l'ennemi et obtenir la main d'Aïda, sa bien-aimée.

Le jeune homme chantait en italien d'une voix si éclatante qu'on l'entendait jusqu'à la route principale:

Se quel guerrier io fossi!
Se il mio sogno si avverasse!
Un esercito di prodi…

«Si seulement j'étais ce guerrier! Si mon rêve se réalisait: une armée de braves à commander», se traduisait Jonathan dans sa tête tout en chantant.

Les gens s'arrêtèrent. La voix de l'adolescent couvrait toutes les autres. Les touristes qui avaient quitté les environs du temple rebroussaient chemin, curieux de découvrir d'où provenait cette étonnante musique. Quand ils furent regroupés, on leur annonça qu'un concert serait présenté quelques minutes plus tard à Banteay Srei.

Jonathan se mit en route en silence vers le temple. Il menait une longue procession de personnes curieuses de l'entendre encore. Arrivé là-bas, il fut hissé au sommet d'un muret.

Alice et Chan se rendaient compte que quelque chose se produisait. Elles jetèrent un coup d'œil entre les pierres. Elles ne voyaient qu'une foule de têtes levées qui observaient quelque chose. Et, tout à coup, une voix monta. Forte. Puissante. Comme un vent qui s'engouffrait en tourbillon de folie, pénétrant les corps, les pensées, et balayant tout.

Nessun dorma! Nessun dorma!
Tu pure, o Principessa,
nella tua fredda stanza,
guardi le stelle,
che tremano d'amore e di speranza...

— Que nul ne dorme! Que nul ne dorme! Et toi aussi, ô princesse. Dans ta chambre glaciale, tu regardes les étoiles qui tremblent d'amour et d'espoir, traduisit Alice pour Chan en pleurant de joie.

Elle avait reconnu son amoureux. Il chantait en italien *Nessun dorma*, un morceau de *Turandot*, l'opéra de Puccini, celui-là même qu'il avait répété pour venir travailler au Cambodge avec son oncle.

Ma il mio mistero

— Ré, mi, fa, mi, ré, mi, do, si, continua la Québécoise à l'oreille de son amie.

Chan se souvint de l'extrait que la prisonnière lui avait fredonné dans la hutte. Elle en avait retranscrit les notes sur le plancher.

Cette musique vidait la tête des pensées négatives. Elle supplantait tout ce qui existait. D'ailleurs, la plupart des mercenaires avaient cessé de les chercher. Ils étaient attirés vers le lieu d'où provenait cette magnifique voix de ténor. Chacun oubliait sa mission, l'importance des actes qu'il avait à poser, le salaire qu'il devait recevoir, la cause pour laquelle on l'avait engagé. Comme si l'essentiel avait repris ses droits. Cette musique éveillait quelque chose en chacun. Elle menait à un endroit où tous avaient envie de se perdre comme dans un rêve.

Chan avait l'impression que le chant lavait la noirceur des derniers mois. Tout redevenait possible. La beauté de cette musique agissait comme un miroir dans lequel se reflétait la grandeur du geste de son père. Il avait créé les Forces paysannes khmères et leur avait consacré toute son énergie, guidé par le seul désir d'aider.

Elle comprenait maintenant qu'au-delà de sa maladie et des erreurs de jugement qu'elle avait entraînées, son père avait toujours poursuivi un idéal de justice. Chan en ressentit de la fierté.

Dépité, Sourkea observait le garçon qui, une main sur la poitrine, projetait son chant au-dessus de la masse des hommes et des pierres. Tous étaient transfigurés par sa voix. Lui-même ne pouvait s'empêcher d'aimer ce qu'il entendait. Il fallut qu'il se secoue pour se libérer de cette emprise. Il sortit son cellulaire et appela la douzaine de tireurs d'élite restés en arrière.

— Entrez dans le temple, leur intima-t-il. Je vais tirer le premier pour éloigner la foule. Faites ce que vous avez à faire. Je vous donne dix minutes pour éliminer ces deux filles. Une prime au premier qui en abat une!

Jonathan chantait de tout son cœur et les spectateurs l'écoutaient en silence, tous suspendus à ses lèvres.

Ma il mio mistero è chiuso in me,
il nome mio nessun saprà!
No, no, sulla tua bocca lo dirò,
quando la luce splenderà!

— Mais mon mystère est scellé en moi. Personne ne saura mon nom! Non, non, sur ta bouche, je le dirai, quand la lumière resplendira, souffla Alice.

Une douzaine d'hommes armés de mitraillettes et en tenue de combat fendirent la foule.

Ed il mio bacio scioglierà il silenzio
che ti fa mia.

— Et mon baiser brisera le silence qui te fait mienne, murmurait Alice tandis que la voix se retirait.

Figé de stupeur, Jonathan découvrit le commando.

Sourkea tira un coup de feu en l'air. Les touristes s'enfuirent aussitôt dans un désordre indescriptible en lançant des cris d'effroi. Certains tombaient et étaient piétinés jusqu'à ce que d'autres aient le cran de les aider à se relever.

Le temps s'était figé dans le temple de Banteay Srei. Plus un oiseau ne chantait. Les singes s'étaient tus. On n'entendait que les bruits métalliques qui indiquaient que les soldats de Sourkea Sampham armaient leurs mitraillettes.

34

LA SOMME DE TOUTES LES PEURS

Juché sur son mur, Jonathan aperçut les deux adolescentes enlacées. D'ici peu, elles seraient exécutées sans pitié. Il se sentait impuissant devant cette armée. Un homme le tenait en joue tandis que les autres visaient les deux filles qui attendaient sans bouger l'issue fatale.

Sourkea Sampham souriait, comme un enfant à qui l'on vient d'annoncer que le spectacle va bientôt commencer. Jonathan se tourna encore vers les victimes et il crut voir passer devant elles une forme rose. Il secoua la tête, plissa les yeux et devina plus loin deux ou trois femmes, le crâne rasé et habillées exactement comme Alice.

Subitement, elles se comptaient par dizaines, quinzaines, vingtaines… Il y en avait partout! Une centaine de nonnes se glissaient dans le temple. Elles connaissaient sans doute une issue dissimulée quelque part. Et il en venait encore et encore, presque toutes identiques. Les plus jeunes sautaient de pierre en pierre, grimpaient aux murs, tandis que les autres sortaient ou entraient par une porte, apparaissaient dans une ouverture, puis disparaissaient.

Quelques-unes encouragèrent d'un geste de la main Chan et Alice à se joindre à leur groupe. Elles furent bientôt plus de 200 à valser entre elles dans un spectacle étourdissant. Jonathan ne parvenait plus à distinguer son amie tellement toutes se ressemblaient.

Il se mit à rire aux éclats. Ces anges roses qui exécutaient cette fantastique chorégraphie allaient peut-être les sauver.

Le jeune Québécois reporta son attention vers les hommes armés qui semblaient tout aussi décontenancés que lui. Comment pouvaient-ils reconnaître celles qu'ils devaient tuer?

Sourkea trépignait. Il devenait fou en constatant que ces nonnes interféraient dans sa mission. Écumant de fureur, il se tourna vers ses mercenaires et leur aboya l'ordre de les abattre toutes.

— Vous m'entendez? vociféra-t-il. Je n'en veux plus une seule vivante!

Les combattants quittèrent leurs cibles des yeux et le regardèrent, interloqués.

— Je vous ai commandé de les tuer! fulmina Sourkea en frappant son poing dans la paume de sa main.

S'apercevant que personne ne réagissait, il hurla de nouveau :

— Maintenant !

Jonathan aperçut le canon d'une mitraillette qui descendait lentement jusqu'à ce qu'il soit pointé vers le sol. L'homme qui la brandissait quelques instants plus tôt observait toujours les nonnes, sans les viser. Après quelques secondes, il jeta son arme. Le fracas du métal sur la pierre s'amplifia dans le temple silencieux tandis qu'un autre laissait tomber la sienne, puis un deuxième, et un autre, et un autre encore. On aurait cru le tonnerre qui tombait sur la Cité des femmes. Bientôt, tous furent désarmés.

L'ordre insensé qu'avait donné Sourkea Sampham avait eu exactement l'effet contraire. Ses soldats refusaient de se prêter à pareille boucherie. Maintenant, plus aucun d'eux ne lui faisait confiance.

La plus âgée des nonnes sortit du bal improvisé et vint à la rencontre des assaillants. Derrière elle, les robes continuaient à voler comme des papillons se posant un instant avant de repartir tournoyer ailleurs.

Appuyée sur sa canne et chancelant sous le poids de la vieillesse, elle s'arrêta d'abord devant le muret sur lequel était juché Jonathan. Le garçon joignit les mains sur sa poitrine pour la saluer à la manière cambodgienne.

Ensuite, la vieille femme parla aux soldats de Sourkea et donna à chacun sa bénédiction afin de les remercier de la miséricorde dont ils avaient fait preuve à leur égard. Comme elle se déplaçait difficilement, deux hommes tendirent le bras pour la soutenir.

En désespoir de cause, Sourkea criait aux nonnes qui déambulaient toujours entre les pierres de mettre un terme à leur théâtre et de s'aligner, dos au mur, afin qu'il identifie les fugitives. Il fut subitement interrompu par une multitude de journalistes et de caméramans qui commencèrent aussitôt à filmer, soucieux d'immortaliser l'étrange ballet dansé dans le temple. D'autres cherchaient Sourkea Sampham.

Jonathan leur désigna l'endroit où il s'était dissimulé. Bientôt, le criminel fut entouré. On colla un microphone à ses lèvres.

— Monsieur Sourkea Sampham, que se passe-t-il ici?

Sourkea cherchait à comprendre comment ce journaliste connaissait son nom. Il ne savait pas que cette personne, comme plusieurs autres, avait reçu un dossier complet décrivant ses activités des derniers mois.

— Euh… nous sommes venus délivrer Alice Miron, tenta-t-il, avant de s'excuser et de déguerpir.

Il avait perdu la bataille. Il espérait encore sauver la face en prétendant qu'il n'avait fait qu'obéir aux ordres de ses supérieurs.

Alice pleurait de joie. Ses larmes creusaient des sillons dans son maquillage doré. Elle courut vers Jonathan. Il ne la reconnut pas. Elle se planta à ses côtés, tout en faisant semblant de chercher, elle aussi.

— Où est donc passée ta belle amoureuse ?

— Alice ! cria Jonathan en se tournant vers elle.

Tout en la détaillant, il resta un instant la bouche ouverte, incapable de prononcer le moindre mot.

Le visage du jeune homme était tout barbouillé quand il s'écarta d'elle. Il riait et pleurait en même temps.

Les parents d'Alice arrivèrent les derniers. Ils avaient été retenus à la Villa Apsara par les policiers qui les surveillaient et leur défendaient de partir. Mais lorsqu'ils avaient appris le dénouement imprévisible de l'opération organisée par Sourkea Sampham, les gardiens de la paix leur avaient laissé le champ libre. D'ailleurs, eux aussi s'étaient esquivés.

On leur avait donné l'ordre de partir avant que la presse ne se présente à l'hôtel.

Éva et Claude enveloppèrent Alice dans leurs bras. Ils restèrent longtemps soudés les uns aux autres.

— Tu as agi avec bravoure, la félicita son père.

Sa mère renchérit en mentionnant qu'elle avait eu une excellente idée en leur faisant passer des messages : la marque de la croix sur son visage et, surtout, le dessin comportant tous les indices.

— Vous avez eu mon aquarelle grâce à Chan. Elle a mis sa vie en danger en vous l'apportant à Siem Reap. Le plus drôle, c'est qu'on n'en a jamais parlé. Mais je savais qu'elle découvrirait les indications que j'avais dessinées et j'étais convaincue qu'elle vous livrerait la peinture malgré tous les risques !

Claude pointa son doigt vers un groupe de nonnes.

— Je crois la reconnaître… là-bas !

— Oui, c'est bien Chan. Je vais rester un peu au Cambodge pour l'épauler.

Elle avait employé un ton sans réplique.

— Nous aussi ! approuvèrent en même temps Éva, Jonathan et Claude.

Il était hors de question qu'ils la laissent seule.

Trois jours plus tard, Alice assistait aux funérailles de Sin Sovath. Depuis leur sauvetage, elle avait consacré tout son temps à seconder Chan. Pendant ce temps, ses parents suivaient le processus judiciaire entourant l'arrestation de Sourkea Sampham.

Il avoua qu'il recevait de l'argent du gouvernement du Cambodge afin d'étouffer le mouvement paysan et qu'il manipulait Lok Thol en jouant sur son piètre état mental pour encourager ses hommes à la violence. Il admit même avoir tué Sin Sovath. De toute façon, les preuves d'ADN parlaient d'elles-mêmes.

Alice et Chan accueillirent la nouvelle avec soulagement : elles avaient bien évalué la situation.

Par contre, ironie du sort, personne au gouvernement n'accepta la responsabilité des actions commises. On persista à expliquer aux journalistes que Sourkea Sampham avait agi seul et de son propre gré.

Éva et Claude regrettaient amèrement de ne pas être en mesure d'aider les paysans à récupérer leurs terres. Ils avaient l'intention, dès leur retour au Québec, d'alerter l'opinion

publique internationale pour que les dirigeants d'autres pays fassent pression sur le
Cambodge afin de réparer le tort qu'on leur
avait causé.

Claude se mit en relation avec un avocat
afin de plaider la cause de Lok Thol, et Éva
dénicha une clinique où on le soignerait à sa
sortie de prison, qui était imminente.

Les parents d'Alice s'occupèrent aussi de
régler les problèmes de visa d'Alex et de
Karine. Ils considéraient qu'ils leur devaient
bien ce petit coup de main : Alex avait eu une
idée brillante en demandant aux nonnes
d'envahir le temple de Banteay Srei. Sans
leur diversion, Alice, Chan et Jonathan ne
seraient plus de ce monde.

Claude veilla donc à ce que les deux jeunes
gens régularisent leur situation au Cambodge.
Dans ce but, il contacta le fonctionnaire qu'ils
avaient rencontré après la visite de Sourkea à
la Villa Apsara, le jour où Jonathan les avait
convaincus de tenter de rejoindre le village où
avait été détenue Alice. Le taxi qu'ils avaient
pris les avait laissés devant la prison. Là,
l'homme leur avait ordonné sans détour de
se mêler de leurs affaires.

Le fonctionnaire n'en menait pas large
lorsque Claude lui rappela cette situation : un
meurtre avait été commis, mais de nombreux

crimes avaient été évités et Sourkea croupissait en prison. Le tableau était des plus sombres. L'employé du gouvernement savait pertinemment comment tout cela avait commencé.

Il s'était rangé du côté de Sourkea, du côté des véritables criminels. Et les Canadiens connaissaient le fin mot de l'histoire. Il leur était redevable de ne pas l'avoir dénoncé aux journalistes. Il fut dès lors très efficace, et Karine et Alex eurent leur prolongation de visa dans un temps record et sans frais.

Quant à Chan, elle accepta de l'aide pour terminer ses études. Elle logerait au monastère, entourée des nonnes qui leur avaient sauvé la vie.

Deux semaines après la libération d'Alice, les Québécois logeaient encore à la Villa Apsara et ils étaient réunis dans le restaurant de l'hôtel. Mao, toujours à son poste, leur servait des boissons. Il profita de l'occasion pour demander à Jonathan si les documents en langue khmère lui avaient été d'une quelconque utilité.

Avant que ce dernier n'ait le temps de répondre, il ajouta :

— Quelqu'un a dû se blesser sur les agrafes que tu avais ouvertes.

Jonathan blêmit.

Claude se pencha vers lui.

— Je me posais la question: où donc avaient-ils déniché l'ADN de Sourkea Sampham?

Mao mit sa main devant sa bouche.

— Zut, j'ai encore gaffé!

Le dernier repas se déroula joyeusement, après quoi chacun prépara ses bagages. Chan attendait dans le hall d'entrée.

Les taxis arrivèrent. Le temps était venu pour Alice de faire ses adieux à Chan. Elle n'en avait aucune envie, après tout ce qu'elles avaient vécu ensemble.

Alice observait son amie qui plissait les lèvres en se retenant pour ne pas pleurer. Son visage la questionnait.

— Quoi, Chan?

La jeune Khmère poussa un long soupir avant de l'interroger:

— Crois-tu qu'un jour, je pourrais basculer dans la folie comme les Khmers rouges et perdre mon humanité?

— Non, ça ne t'arrivera pas.

— Jamais?

— Jamais, répéta Alice en l'enlaçant.

NOTE AU LECTEUR

Angkor fut la métropole de l'Empire khmer du Xe au XIVe siècle. La population totale y aurait atteint près d'un million de personnes. Elle fut, un jour, la plus grande ville du monde.

Le Cambodge est le pays qui recèle actuellement le plus grand nombre de mines antipersonnel sur son territoire. Selon les estimations, il resterait entre six et sept millions d'engins encore actifs à travers le territoire. Ils continuent de tuer et d'estropier des innocents.

De 1975 à 1979, les Cambodgiens ont subi les atrocités du régime khmer rouge qui a éliminé près du quart de la population du pays. La base de l'idéologie khmère rouge consistait en la division du peuple en deux groupes : le peuple « de base », issu des zones rurales, jugé ethniquement pur, et le peuple « nouveau », urbain et contaminé par des idées étrangères, et surtout occidentales.

Quant à l'accaparement des terres au Cambodge, cet extrait d'un article paru dans le journal *Le Devoir*, le 9 octobre 2014 est très clair :

> *La confiscation de terres à grande échelle constitue-t-elle un crime contre l'humanité ? La Cour pénale internationale vient d'être saisie de cette question sur la foi d'un rapport qui documente l'accaparement massif et systématique de terres cultivables au Cambodge par la classe dominante – membres du gouvernement, dirigeants d'entreprises, membres de l'appareil de sécurité. L'avocat des victimes allègue que 770 000 personnes (6 % de la population) ont été affectées depuis 14 ans par ces confiscations systématiques et que 145 000 personnes ont été transférées de force hors de Phnom Penh, la capitale. Des pratiques qui ne sont pas sans rappeler l'ancienne dictature des Khmers rouges…*

TABLE DES MATIÈRES

Les titres de la collection Atout

* Lecture facile   ** Lecture intermédiaire   *** Lecture difficile

Suivez-nous

GARANT DES FORÊTS
INTACTES

Achevé d'imprimer en mars 2016
sur les presses de Marquis-Gagné
Louiseville, Québec